科學史上最有梗的20堂地科課

上

25部LIS影片讓你秒懂地科

胡妙芬、LIS情境科學教材 —— 文

陳彥伶 ———————————— 圖

羅立 ———————————— 審定

 **作者序**

科學史給科學教育的啟發

　　2015年底，LIS開始了科學史教材的研發，也很幸運的能夠得到各界支持，讓LIS能夠持續製作幫助孩子培養科學素養的教材。我們一路從化學史、物理史做到地科史、生物史，在過程中深深了解「以古鑑今」的道理。因此，我們希望透過科學史系列叢書、影片，把我們從科學史看到對學習科學很有幫助的部分，呈現給大眾。

相同之處的啟發

　　在製作科學史教材的過程中，我們發現絕大部分科學家的研究，都起因於對現象的困惑，進一步產生好奇心驅使科學家往下研究。像是化學家在解剖死掉的青蛙時，觀察到蛙腿竟然會自己跳動；物理學家注意到只要水井超過10公尺深，水就沒有辦法被抽上來；地科學家計算出地球白天在太陽的照射下，平均溫度應該會超過攝氏100度，但實際上只有大約攝氏30度。雖然水井已經不在我們的日常生活，平常也沒有機會接觸到青蛙解剖，但如果我們可以把這些充滿啟發的現象，透過文字、影像的方式重現，或許我們就能夠讓孩子在學習科學時，也像科學家一樣充滿好奇。

　　綜觀科學史，我們會發現絕大多數的科學概念，都建立在前人之上；科學家們總是先找出了自然現象中的某個規律，再進一步深究這些規律背後的原因。也就是說，如果缺少了前人提出的基礎概念，那麼許多現在我們能學到的進階概念，可能變得難以理解，或是根本不會被提出來。就好像，如果不知道我們能看見物體是因為「物體把光反射到眼睛中」以及「白光是由不同色光所組成的」，我們也將難以理解物體的顏色是因為只有部分色光反射所導致。因此，科學史讓我們了解科學概念的學習順序，我們也希望藉此，讓孩子可以一步步建構起完整的知識架構。

不同之處的啟發

　　雖然物理、化學、地科、生物在發展上有許多相似之處，但本質上也有許多巨大的差異。化學家們往往被燃燒、冒泡、發生顏色變化等，像魔術一樣神祕、迷人的現象所吸引，並努力探究背後的原因，好比說化學家會去研究物質為什麼會燃燒。而物理學家則剛好相反，他們研究的往往是生活中平凡無奇的現象，也不深究現象發生的原因，而是試圖用一個簡單的規則來描述這些現象，像是物理學家會研究什麼因素影響了物體的運動，但是他們並不會去研究為什麼物體受到力就會產生運動。

　　最後，地球科學家研究的對象則是那些時間、空間尺度比較大的現象，例如山脈是如何形成的、地球的內部長什麼樣子。也因為他們研究的對象很複雜，地球科學家們往往需要運用許多化學家、物理學家所提出的科學概念來幫助研究、分析，甚至是提出理論。這或許也是我們會把地球科學安排在九年級來學習的原因，因為唯有熟悉了基本的科學概念，我們才能夠去了解、探究更複雜情境的科學現象。

　　在閱讀這套《科學史上最有梗的20堂地科課》時，強烈推薦搭配《科學史上最有梗的20堂化學課》以及《科學史上最有梗的20堂物理課》一起服用，除了讓您在閱讀本書時有充分的化學和物理知識來了解科學家的探究過程，也能夠學習化學家超級有創意的想像力，以及物理學家試圖歸納世界規則的精神。

　　相信這套《科學史上最有梗的20堂地科課》，在透過胡妙芬老師的文字，以及陳彥伶老師的繪圖下，不只能夠讓您深入淺出的了解地球科學知識概念，還能夠讓您清楚理解並學習地球科學家們是如何應用化學、物理的知識，來解決問題，並一步步揭開地球神祕的面紗。

鄭弼升

LIS情境科學教材 科學史教材內容監製

推薦序1

從漫長的科學發展史中找出最有意思的新梗

在課堂上同時講到科學與歷史，簡直是教師最大挑戰與學生最甜蜜夢鄉的大雜燴。

「都已經發生過了，為什麼還要再講一遍？」

「講來講去一堆人名，記住有什麼用？」

「能夠不用聽一堆專有名詞，改聽科學家的故事真是輕鬆多了。」

我想很多學子在面對茫茫書海時，心裡面或多或少都飄過這樣的想法吧？但難道科學史真的是一門這麼讓人望之卻步或是聞聲入夢的學問嗎？

科學家哪有這麼天才？一切都是淚水、汗水與口水！

科學史正如所有歷史一般，常常提醒我們現在習以為常的事，並不是「注定」會發生的事，反而可能是一連串的誤打誤撞，甚至是巧合與衝撞下的產物。

《科學史上最有梗的20堂地科課》告訴我們的正是這樣一系列精采的故事！

比如書中一章提到「地球是圓的」，這並不是等到太空梭與衛星照相發明後才證明的事實，也不是今天才有人想到的概念，而是在2000多年前就有人用「觀測」與「數學」推導出來的事情，而且結果居然跟現代精準的量測數字相差不到2%！

還有，人類到底從怎麼只從站在地球上觀察到日月星辰的運動，就能理解原來地球只是太陽系，甚至銀河到整個宇宙中小小的一個點？不同學者又是如何一步一步在各種困難中找到突破的想法，堆砌出來我們今天對於宇宙的認識？而科技的進展，又能怎樣進一步讓人類開拓出未知的新挑戰？

科學史不斷告訴我們，人類對於世界的好奇心沒有時空分別。

儘管不同時代有不同的限制與挑戰，可能是技術上的，也可能是社會環境上的，但這些限制都沒有辦法阻擋人類的思考。不管環境帶來再多的壓迫和挑戰，人們或者站出來大聲疾呼，或者默默埋藏與琢磨自己的想法許多許多年，但總是不放棄任何一點留下思考過程與結果的機會，讓後來的人們可以找尋到新的突破口。

結論雖然重要，但過程才是亮點！

　　在教學課堂上我常常提醒自己，也希望能帶給學生這樣的訊息：現代知識這麼多、這麼容易取得，最重要的已經不是記得多少人的名字，或是知道多少個計算公式。而是回過頭來想，某些特定的問題是怎麼被提出來的？是利用什麼樣的方法推導出來？研究者又是怎麼利用當初推導這件事的創意？

　　比如說書中提到蘇格蘭地質學者詹姆士・赫頓，他在面對重要爭議時，並不是單純跳進去打筆戰，或是盲從其他人的論點，而是帶著心中的假設與疑惑親身走進田野調查，尋找證據來修正與鞏固自己的假說；又或是韋格納怎麼透過觀察與證據，推斷出古代盤古大陸的存在，進而提出了在當時聽來荒謬的見解。最終這些科學家將理論與實作並進，整合並革新了當時的學說，深深影響了後世地球科學的發展

　　如果讀者跟我一樣，面對自然環境心裡面總是有不少疑惑，我相信這套書可以為您帶來許多閱讀的樂趣，以及有趣的新知。但我相信更重要的是，透過閱讀這套書讓我們重新理解每個習以為常的認知，其實都是不容易的突破，而現在的我們站在現在的地球面前，又還有哪些挑戰呢？

　　讓我們一起來翻開科學史，而不只是用螢光筆畫上他們的結果，看看這些跟你我一樣是「平凡人」的科學家想破頭與靈光乍現的時刻，說不定你也能像赫頓一樣，從八竿子打不著的地方得到破解難題的靈感！

羅立

國立臺灣大學地質科學系助理教授

 推薦序2

教育前線與科學思辨的距離

「星垂平野闊，月湧大江流」，這是來自杜甫《旅夜書懷》中的一段文字，也是我們在課堂上用來引導學生思考的一個問題。因為學生常常用星星「高」掛在天空來描述夜晚所見的景象，那在什麼樣的情境下，古人才會看到繁星低「垂」於夜空呢？這兩個動詞的使用方法不同，正是意味著所處時空環境的差異所致。

身處建築物叢聚且光害嚴重的現代，人們往往只能看到頭頂的亮星，因此會用「高掛」來描述對它的觀察。對於「垂掛」呢？學生通常會回答說在綠島、蘭嶼這樣的小島，就有機會見到滿天星斗垂掛於夜幕。此時，我們會趁機追問：「這時候環繞四周觀察，所看到的天空會像什麼形狀？」這個問題有助於他們了解古人如何從直觀經驗出發，形成了「天圓地方」的概念。而從歷史觀點來看，古代的自然哲學家對於地球科學的相關思考，也大多是起源「地球的形狀」這個問題。

從觀察認識世界 卻從背誦理解科學？

華文世界中，我們所使用的「地球」一詞，意謂著我們所居住的行星外觀為球形，因此學生會理所當然的接受地球形狀是圓形的。然而，國外對孩童所持有地球形狀概念的相關研究顯示，不同文化的孩童們都普遍認為地球是平的（或是碟狀平盤），推論這應是受兒童個人的直觀經驗導致。這也意味著從古至今，人們認識自然界通常是從自己直接感官經驗出發，然後再慢慢透過經驗的統整，或者是與他人的溝通，而後才是進行更多的學習，也包含進入學校體制的科學教育。

過去臺灣的科學教育（特別是中小學的科學課程），常以「科學產出的最終形式」

作為教學與學習的重點，也就是科學知識、科學定律、公式，透過記憶背誦與反覆演算來學習科學，所在意的大多是「知識的正確性」。但這樣的做法卻忽略了科學其實是一種求知的「過程」，也就是如何從現象的觀察出發，進而發現問題、推測甚至實驗，最後對探究結果進行論證與溝通。本套書許多內容恰可補足上述的科學求知過程，並作為教學與學習的補充資料。例如：上冊第34頁中關於月相盈虧的4個線索，可以作為現象觀察後的歸納與邏輯推理訓練；再如學生最易產生迷失概念的潮汐成因，則可透過上冊第77到87頁中，牛頓如何從流星索開始思考，最後解開了地球海水潮汐是受到月球與太陽的共同影響，來引導觸類旁通的思辨歷程。

由宗教到實證 地球科學的典範轉移

　　若從另一個角度來審視地球科學的發展史，我們還得注意一個問題：關於許多地球的科學研究理論，大多始於文藝復興時代，當時的學者幾乎都是從周遭生活環境的觀察出發，進而形成自己研究的方向與理論，並沒有一套共同遵守的科學研究方法與標準。但十八世紀後，因為科學社群與科學期刊的流通、工業革命興起與宗教力量式微等原因，促使了現代的地球科學萌芽。特別是因應礦業的興盛，岩石、礦物與化石相關分類知識不斷增加，地質學開始被視為一門科學，進而透過檢驗地殼中的岩石成分與化石，讓人了解地球實有長遠歷史，而不是某些宗教聲稱僅有數千年的時間。

　　最後，建議使用此套書教學的老師，可以補充「時間尺度」與「空間尺度」的概念，兩者都是地球科學有別於其他學門的特徵，並透過大陸漂移、海底擴張到板塊構造學說的發展舉例。因為造成現今地表地貌形成的力量，可說是以百、千萬年的時間尺度在進行，所造成的影響也不只是地質變化，還可能是全球海洋、氣候系統的變化。

洪逸文、王靖華

國立臺灣師範大學附屬高級中學地球科學教師

距今100萬到40萬年前

400 BC

300 BC

200 BC

1300

1400

人類用神話解釋自然現象

宗教打壓自然哲學

亞里斯塔克
310BC ～ 230BC
計算月球和太陽
的大小、
提出日心說

埃拉托斯特尼
276BC ～ 194BC
古希臘自然哲學家
地圓說、計算地球
周長

哥白尼
1473 ～ 1543
現代天文學之
日心說、
《天體運行論

地科史
關鍵年表
（以理論發現順序排序）

陸米斯
1811 ～ 1889
鋒面雨、氣象預報

佛雷爾
1817 ～ 1891
氣壓、地球自轉與
風向

泰塞朗・德波爾
1855 ～ 1913
平流層與對流層

1800

傅科
1819 ～ 1868
傅科擺

廷得耳
1820 ～ 1893
溫室效應

1900

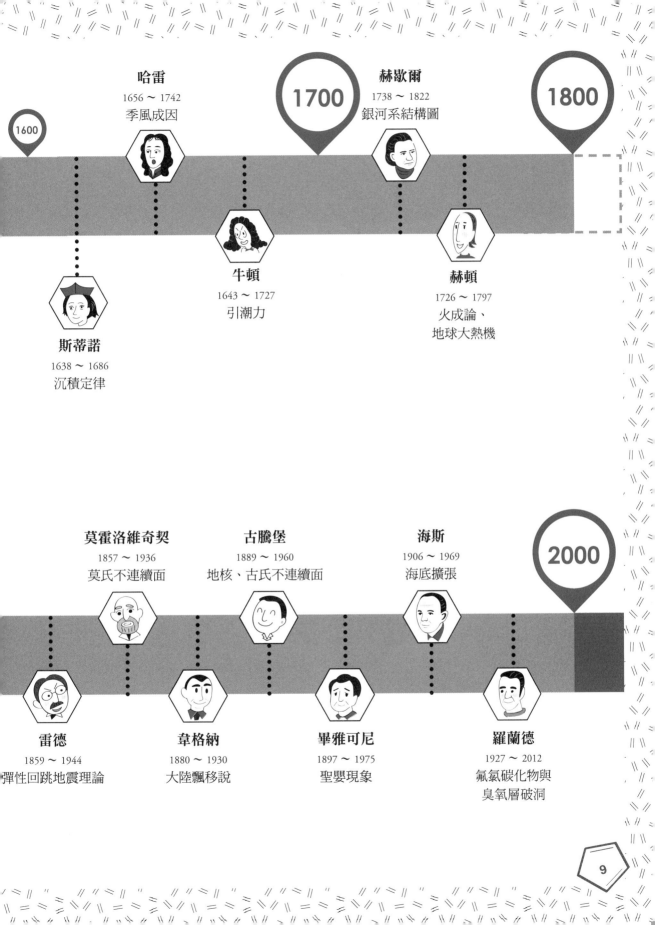

哈雷
1656～1742
季風成因

1700

赫歇爾
1738～1822
銀河系結構圖

1800

1600

牛頓
1643～1727
引潮力

赫頓
1726～1797
火成論、
地球大熱機

斯蒂諾
1638～1686
沉積定律

莫霍洛維奇契
1857～1936
莫氏不連續面

古騰堡
1889～1960
地核、古氏不連續面

海斯
1906～1969
海底擴張

2000

雷德
1859～1944
彈性回跳地震理論

韋格納
1880～1930
大陸飄移說

畢雅可尼
1897～1975
聖嬰現象

羅蘭德
1927～2012
氟氯碳化物與
臭氧層破洞

9

目錄

作者序——科學史給科學教育的啟發　　　　　　　　2

推薦序 1 ——從漫長的科學發展史中找出最有 　　　4
　　　　　　意思的新梗

推薦序 2 ——教育前線與科學思辨的距離　　　　　6

地科史關鍵年表　　　　　　　　　　　　　　　　8

本書特色與人物介紹　　　　　　　　　　　　　　12

第 1 課
地球是圓還是扁——埃拉托斯特尼　　　　　　　17

第 2 課
月相盈虧怎麼來——亞里斯塔克　　　　　　　　31

第 3 課
從日心到地心——哥白尼　　　　　　　　　　　45

第 4 課
讀懂地層的歷史——斯蒂諾　　　　　　　　　　59

第 **5** 課
解開潮汐的祕密——牛頓　　　　　　75

第 **6** 課
發現季風的成因——哈雷　　　　　　89

第 **7** 課
尋找真正的宇宙中心——赫歇爾　　　103

第 **8** 課
岩石形成的水火之爭——赫頓　　　　119

第 **9** 課
鋒面與鋒面雨——陸米斯　　　　　　131

附錄1　十二年國民教育自然領域　　　144
　　　　課綱學習內容對應表

附錄2　名詞索引　　　　　　　　　　148

本書特色

這是一本結合科學史、科學理論解析，以及科學家人物故事的超有趣科普書。

1 故事主文會告訴你重要的地科理論是怎麼出現及演進歷程。

2 人物專欄要帶你認識眾多科學家不為人知的祕辛。

3 「快問快答」單元專門回答你對地科的疑難雜症。

4 跟著「LIS影音頻道」掃描 QR Code，就能看到相關影片，學習更全面。

出場人物

魯芙
雙魚座
14歲

凡事認真，愛笑又愛哭的中學女生。喜歡物理、化學，更喜歡用物理、化學方法研究出來的地球科學。這學期，科學史研究社的LIS老師終於要開講地球科學的發展史，說什麼也要拉著好友嚴八趕快去聽。

LIS老師
天秤座
年齡不詳

科學史研究社的社團老師，頂著正字標記的一頭鬈髮，是個性浪漫的文青，也是邏輯嚴明的科青。繼化學史和物理史之後，這學期準備挑戰繼續說故事讓學生愛上地球科學。

嚴八
射手座
14歲

滿臉雀斑的大男孩，討厭考試與教科書。因為被魯芙拉去參加科學史研究社，已經相信聽故事就能愛上科學。不過，老是跟著魯芙聽課，已經分不清自己是愛上科學還是愛上魯芙了。

第 1 課

地球是圓還是扁

埃拉托斯特尼

地球、地球，顧名思義，我們所居住的這塊大「地」是一顆圓「球」。所有跟這顆球有關的學問，例如天文、大氣、海洋、地質等等，全部統稱為「地球科學」。從太空人拍攝的照片，或是遙測衛星從太空回傳的影像來看，我們腳下所踩的這片大地果真是一顆獨特、絢麗、漂亮的水藍色星球。可是古人沒有太空人、沒有衛星，你想，放眼望去只見大地是一片平坦的他們，會相信「地球是圓的」這個事實嗎？

胡說，地球是平的啦！

　　你猜對了，他們的確不這麼想。古時候，幾乎所有民族最早的先民都相信「地球是平的」，而且四周被一大片海洋圍繞。他們腦袋裡的地球大概長這樣：

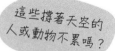
這些撐著天空的人或動物不累嗎？

古中國人

天是圓的、地是方的。「天圓地方」就是我們的世界。

不要太認真，那只是神話嘛～

天空是由四根柱子撐住的厚板子，並由法老守護神荷魯斯的四個兒子扶著。

古埃及人

古印度人

世界是個平盤，由四隻大象背在背上。這四隻大象站在烏龜上，烏龜下還有隻大蛇，這條蛇環繞著整個世界。

即使是在「現代科學」的起源地——古希臘的小亞細亞地區，人們剛開始也認為地球是平的；包括那些理性思考、睿智過人的達人、學者，也都看不出來大地其實是一個巨大的球面，而不是平地。不過仔細想想這也難怪，因為在那麼遙遠的年代，人類所能探索的地區範圍非常狹小，各種觀測技術和測量工具也都還沒有出現。人們日復一日看到的就是眼前的平坦大地，會認為「地球是平的」也是一件很正常的事。

歐洲

身處歐亞大陸交界的「小亞細亞」位於現代的土耳其，是孕育人類古文明的重要區域，包括希臘神話、荷馬史詩和聖經等古典名著與傳說，都發源自這裡。

古代希臘

希臘

愛琴海

小亞細亞

古代希臘的範圍則包含一部分的小亞細亞以及散布在愛琴海上的許多島嶼。

只是古希臘畢竟是古希臘，作為古老世界獨一無二的知識產地，在公元前六到五世紀，不少智者還是拋棄了神話故事，開始根據科學觀察的結果修改「地球是平的」的論述。

這些智者被稱為「自然哲學家」，以追求萬物真理為一生的職志，尤其是主張要用現實世界和大自然的術語來解釋人類世界的變化，而不牽扯到個人的宗教信仰、神明或超自然的神祕力量。所以，當時的「自然哲學家」其實就是今日「科學家」的始祖。

怎麼樣？我很聰明吧！

地球形狀的真相只有一個

　　但是剛開始，「地平說」並沒有成功的一步跳到「地圓說」，中間甚至曾出現「地球是一根圓柱」的有趣理論。一直到大約西元四世紀以後，地圓說才算站穩腳步、傳遍了整個希臘。究竟這個理論的來源是什麼？科學的依據又在哪裡呢？

　　這點從柏拉圖（Plato，427BC～347BC）以及他的學生亞里斯多德（Aristotle，384BC～322BC）的著作裡可以找到。其中，亞里斯多德在他的天文學作品《論天》（On the Heavens）中，曾經提到地圓說的兩大證明：

亞里斯多德
384BC ～ 322BC
希臘自然哲學家

　　第一，發生月食時，月球表面上的地球陰影具有「圓弧形」的邊緣，可見地球是球形，不是平面。

我只想吃月餅……

月球

地球陰影

月食時可以看到地球影子有圓弧邊緣。

真的耶！

　　第二，有些星星在希臘看不見，卻會出現在一海之隔的埃及夜空中；星座在不同地區的夜空中也會改變位置，由此可見大地並非水平，而是像球一樣具有弧度。

除此之外，也有其他學者陸陸續續提出地圓說的證據，其中大部分都跟航海船隻的觀察有關。搞不好你也觀察過喔！

例如當海上船隻靠近陸地時，水手會先看到陸地高山的山頂（左圖），然後才會看到整座陸地（右圖）。

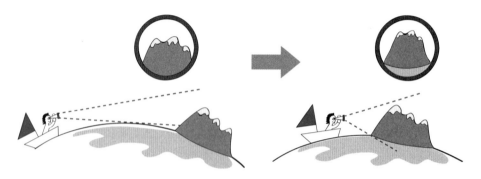

而且，如果你站在海邊，看著船隻航向遠處的時候，船身會先被地平線吞沒（左圖），然後才是船的桅杆和船帆（右圖）。

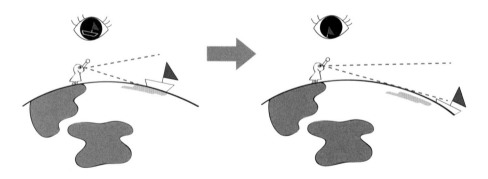

古希臘的自然哲學家就是憑著細膩的觀察，在沒有任何探測工具與測量技術的條件之下，推論出地球是一顆圓球。不只如此，地圓說在希臘普遍被認可100年後，甚至就有人計算出了地球的大小，也就是地球的周長。這到底是怎麼辦到的？這位厲害的大神又是誰呢？以下，就讓我們來看看這位來自昔蘭尼（Cyrene）的學者埃拉托斯特尼（Eratosthenes，或譯為厄拉托西尼），以及這件發生在2300年前的壯舉。

最優雅的計算：
找出地球的周長

埃拉托斯特尼
276BC～194BC
古希臘自然哲學家

昔蘭尼是一座位在今天北非利比亞境內的古城，但在以前卻是古希臘南部的一座殖民城市。西元前332年，希臘的亞歷山大大帝征服了昔蘭尼；在他去世後，由他麾下的將軍托勒密取得了統治權。昔蘭尼在托勒密的統治下，成為一個經濟繁榮、文化發達的城市。

埃拉托斯特尼在昔蘭尼出生，也和當時許多希臘年輕人一樣，在知識繁盛的昔蘭尼學習強身的技能、語言、閱讀、算術，甚至音樂和詩歌寫作。長大之後，埃拉托斯特尼來到雅典繼續深造，成為一個多才多藝的年輕學者。西元前245年，他傑出的詩文吸引了當時的法老王托勒密三世，邀請他到埃及擔任亞歷山卓圖書館的圖書管理員。

亞歷山卓是當時全世界的學術中心，管理亞歷山卓圖書館更是一份莫大的榮耀。三十歲的埃拉托斯特尼用了5年的時間，當上了亞歷山卓圖書館的館長；並且利用職務之便，大量閱讀了收藏在館內的圖書、文獻與測量資料。

亞歷山卓圖書館位於埃及接近蘇伊士運河的重要交通位置，透過地利之便，收集了許多珍貴書籍，這也讓埃拉托斯特尼有機會接觸到各種知識文獻。

多才多藝的埃拉托斯特尼在數學與科學方面做出了許多貢獻。他發明的天文測量工具「環形球儀」（armilla），一直被世人使用到十七世紀；採用的「geography」（地理學）一詞，也被後人沿用到現代。不過，在他所有成就中最為世人稱道的，就是運用巧妙的推理，計算出地球的大小與周長。

可惜的是年代久遠，埃拉托斯特尼的計算方法已經失傳。我們只能從後來另一位學者克萊奧邁季斯（Cleomedes，生卒年不詳）的著作《論天體的圓周運動》（On the Circular Motions of the Celestial Bodies）中，還原當時發生的經過，而故事可能是這麼說的……

時間是西元前240年，身為亞歷山卓圖書館館長埃拉托斯特尼，在一份文獻中發現了一個祕密。

「什麼？」埃拉托斯特尼興奮極了，「每年白天最長、黑夜最短的這一天，正午的太陽不但會出現在賽伊尼的天頂，還能直直的射入深井，在井底的水上反映太陽的倒影！」

賽伊尼（Syene）是一座位在亞歷山卓南部的大城，也就是現代埃及南部的城市亞斯文（Aswan）。聰明的埃拉托斯特尼立刻就看出了這件事的重要性。因為就在同一天，正午的太陽並不會出現在亞歷山卓的天頂，而是偏斜了一個小小的角度。這是因為地球是顆圓球，兩個城市的經度相當，緯度卻略有不同的緣故。

埃拉托斯特尼靈光一閃：「太好了，這不正是個好機會，讓我可以利用這兩個城市的距離來計算地球的周長嗎？」

7.2度

利用已經知道高度的方尖碑，測量它的影子長度，就可以知道當下陽光照射的角度

埃拉托斯特尼想到做到，是個標準的行動派。首先，他等到每年白天最長、黑夜最短的這一天（也就是我們所稱的「夏至」）來臨，先在亞歷山卓利用一個已經知道高度的「方尖碑」，計算出太陽偏斜的角度是7.2度。另外，他又雇用了幾位專業的行走測量員，用「腳步」去測量亞歷山卓到賽伊尼的距離。

別笑，你沒聽錯，就是用「腳步」！別忘了那是在2200多年前，還沒有大型的土地丈量工具。在埃及，為了農業或稅收的需要，這些測量員可是經過嚴格的訓練，專門用同等距離的步伐去測量兩地之間的距離或土地的大小。

「好了。經過測量員嚴密的走路計算，亞歷山卓到賽伊尼的距離總共是5000個視距。」

視距（stadium）是當時的一種長度單位，1個視距相當於現代的157.5公尺。埃拉托斯特尼著手畫出計算的圖：

假設陽光是平行的，而且地球是正圓球體。那麼在亞歷山卓太陽偏斜的角度X，就會是亞歷山卓和賽伊尼這兩點到地球圓心的夾角Y。

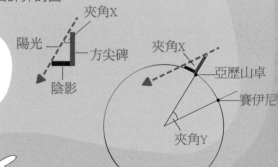

夾角X

陽光 — 方尖碑

陰影

夾角X

亞歷山卓

賽伊尼

夾角Y

「360度除以7.2度等於50。也就是說，7.2度是整個圓形360度的1/50，那麼亞歷山卓到賽伊尼的距離也會是整個地球周長的1/50。」埃拉托斯特尼想，「剩下的計算工作就非常簡單。亞歷山卓到賽伊尼的距離是5000個視距，那麼5000再乘以50，就可以得出地球的周長是25萬個視距了！」

「太好了！沒想到我們居住的地球是這麼的大啊！」埃拉托斯特尼發現了一個前無古人的新知識，心裡充滿了得到真理的喜悅。

但是，在一個沒有測量儀器、沒有丈量技術的情況下算出來的數字，究竟準不準確？當時，沒有人答得出來。

先不管結果如何，現代的我們知道，聰明的埃拉托斯特尼，他假設的條件和現代有些出入：

第一、他假設地球是一個完美的正圓球形，但是地球其實是橢圓球形的。

吼，他是矇到答案的吧！

別這樣說，已經相當不容易了！

第二、他假設賽伊尼在北回歸線上，所以夏至時太陽位在天頂。但事實上，離北回歸線還有一段距離。

第三、他假設亞歷山卓在賽伊尼的正北方。呃……其實沒有那麼剛好在正北方。

但是，他得到的最後結果——地球的周長為25萬個視矩，經過換算以後約等於3萬9375公里，比現代測量的地球赤道的周長4萬76公里，只小了約1.7%！

這樣的結果，發生在2200多年前實屬難得，令人激賞。不過，酸民不是現代才有。當時不少人對埃拉托斯特尼的表現還是不以為然，他們酸溜溜的叫他「貝他」（ Beta，希臘文的第二個字母），意思是取笑他在各個領域的表現，都只排名「第二」，第一正是埃拉托斯特尼的好朋友阿基米德（Archimedes，287BC～212BC）。

不過，埃拉托斯特尼或許不太在意別人的惡意比較。他曾經說過：每個民族都有好人也有壞人；也曾批評亞里斯多德不該把人類分為希臘人和野蠻人，也不該呼籲希臘人要維持血源的正統，不要隨便與外邦人結親生子。由此可見，埃拉托斯特尼是個心胸寬大的人。

西元前195年，高齡八十一歲的埃拉托斯特尼因為眼睛感染而突然失明。失去視力使埃拉托斯特尼無法閱讀，也不能像從前一樣從事自然觀察了，這對一生求知若渴的他是一項嚴重打擊。失去生命意義的埃拉托斯特尼不願意好好進食，在失明的第二年就因為絕食而死了。

可見求知是他的真愛……

食物才是我的真愛。

就這樣，地球在歐洲人的眼裡不但是圓的，而且還有了具體的大小。但是這樣推論出來的地圓說不但不夠完美，還額外冒出一大堆無法解釋的問題，像是：如果地球是圓的，南半球的人究竟要怎樣顛倒行走，才不會「掉」下來？大海又是如何乖乖的跟著地球保持彎曲，不會到處亂跑？因此，當時乃至於後，還是有非常多人不願意信地圓說，始終堅持地平說。

亞洲

歐洲

非洲

　　「ＴＯ地圖」，或稱「ＯＴ地圖」，是中世紀歐洲人所認同的世界地圖。當時的歐洲人還不知道美洲的存在，認為世界的陸地被Ｔ形的河流或海灣分成歐、亞、非三洲，並且被Ｏ形的大海包圍。

　　直到1522年，麥哲倫（Ferdinand Magellan，1480～1521）率領的船隊成功繞地球一圈，終於「直接」證明了地球是圓的。至此，事實擺在眼前，地球上應該沒有人再相信地球是平的了吧？

　　錯了！直到二十一世紀的現在，世界各地還是有不少人支持地平說，他們利用網路四處傳播地平說的信仰，認為是美國太空總署和世界各國政府聯合起來篡改地球影像，只有聰明的人才不會被矇騙。不信的話，上網找找，還能找到「地平說學會」的網站唷！

快問快答

1 文中提到埃拉托斯特尼把地球視為正圓球形是錯誤的，但人造衛星從宇宙拍攝的地球相片的確是圓球形呀！到底地球是什麼形狀呢？

有句話說「眼見為真」，但有時候卻不一定喔！根據現代衛星測量，地球的赤道半徑為6378公里，南北極的半徑為6357公里；換句話說，地球應該是「橢圓球形」。但是跟偌大的地球比起來，人眼根本察覺不出來這樣微小的差異。

不只如此，有科學家測量後還發現，北極和南極海的海平面間有45公尺的落差：北極高出19公尺，而南極凹陷26公尺。所以地球不是正圓也不是橢圓，應該比較像是「西洋梨」的形狀。但同樣的，人眼根本看不出來這45公尺的落差，因此在人類眼中，地球還是非常完美的正圓球形啦！

北極突出、南極凹陷……地球應該是西洋梨形的吧？

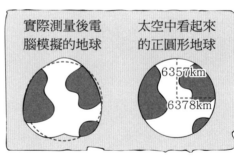

實際測量後電腦模擬的地球

太空中看起來的正圓形地球

6357km
6378km

根本看不出來啦！

2 為什麼宇宙中星球都是球形的，而不是方形、三角形或盤狀的呢？

簡單來說，星球的形狀之所以是球形，主要是受到「重力」的影響，也就是「萬有引力」。因為巨大星球內部的重力十分強大，把星球上的物質均勻往內拉；當來自四面八方的重力達到平衡、穩定時，就會使星球的形狀變為球形。

月相盈虧怎麼來

亞里斯塔克

想 像一下，如果你活在沒有電、沒有燈，更沒有電視、手機的時代，太陽下山以後四處昏暗，你能做些什麼呢？是早早去睡覺？跟家人聊天？還是抓螢火蟲來認真在螢光下讀書呢？

在1879年愛迪生（Thomas Edison，1847～1931）讓電燈普及之前，絕大多數的古人都過著日出而作、日落而息的日子，大致上的生活作息都是跟隨著太陽運行。幾乎無法做事的夜晚，似乎就只能盯著天空發呆。

不過偏偏有一群人對夜空的星星很感興趣。有人發展出占星術預測未來，有人寫出傳頌千年的星座故事；也有人想知道為什麼星星、月球、太陽每天東升、西落？是什麼在背後推動它們？不僅如此，他們也發現星星、月球、太陽彼此升起的時間略有不同；月球的亮度和形狀也有變化。

這些人勤勞的記錄月升的形狀和時間，找出月相盈虧的週期，成為世界上第一批天文學家。所以說天文學是人類歷史上最古老的科學，一點也不為過。

> 晚上不睡覺，看什麼月亮啊？

太陽照到才亮的月亮

在古希臘，「月球會不會發光？」老早就是天文學家們經常爭論的問題了。不過大家討論歸討論，誰也沒能給出確定答案。因為如果月球本身就會發光，那為什麼有時只亮一半，或甚至完全不亮？相反的，如果月球自己不會發光，那麼是誰照亮月球？皎潔動人的月光又是從哪裡來的呢？

這個問題經過眾人的觀察、記錄和討論（或吵架），終於有了答案。他們觀察到當月球和太陽同時在清晨或黃昏出現時，月球發亮的那一面，總是朝著太陽，就像太陽直接把光潑灑在月球身上一樣。

大家猜想，月球的盈虧變化可能跟「太陽的位置」有關。因為人們同時還觀察到：

❶ 太陽在天空中的位置越靠近月球，月球的亮部會越小。

❷ 太陽與月球分別在天空的兩側時，月球會整個發亮。

❸ 太陽與月球重疊時，會看不到月球。

❹ 從看不到月球到全亮的過程中，太陽始終在月亮的西邊；相反的，從全亮到看不到月球的過程中，太陽始終在月球的東邊。

> 這代表月球和太陽的位置是⋯⋯

> 算了，我還是吃月餅好了⋯⋯

因此人們認為，當月球繞著地球旋轉的時候，如果剛好轉到地球和太陽中間，地球上的人就只能看見月球全黑的一面。人們將這樣的月球視為月相變化的全新開始，稱為「新月」。

而當月球旋轉到整個月相週期的1/4時，地球上只看得到被照亮一半的月球，稱為「第一個1/4」（英文稱為「first　quarter」，即為中文的「上弦月」）；當月球走到一半，也就是剛好在太陽正對面的時候，地球可以看到完整被照亮的月球，稱為「滿月」。

　　至於月球旋轉到整個週期的3/4時，地球上也只能看到被照亮一半的月球，因此稱為「第三個1/4」（英文為「third　quarter」，即為中文的「下弦月」）；最後，月球又繞回原點重新開始，如此不斷循環。而要看到相同的月相，平均大約需要29.5天，因此古人就把這個過程所需要的時間訂為「1個月」。

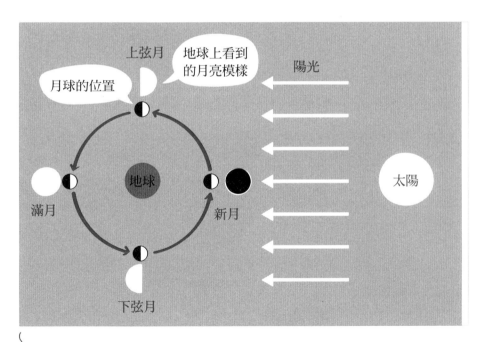

月球始終是面向太陽的那一面被陽光照亮，而在地球上看到的月亮模樣，則跟月球、地球、太陽的相對位置有關。

地球與星辰的距離

但是日、月、星辰究竟是怎麼排列的？地球在眾多的星球之中，又是居於什麼位置？

西元前四世紀，著名的希臘學者亞里斯多德，提出了他心目中的宇宙模型。根據日月星辰每天上升、下落的現象，他認為宇宙是以地球為中心，日月星辰包括恆星和行星都以完美的同心圓的方式，繞著地球旋轉。

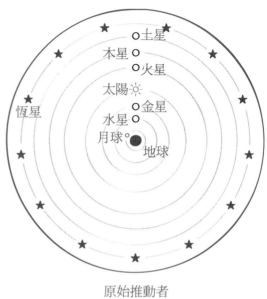

原始推動者

亞里斯多德是那個時代的大學者，大部分人也都認同他所提出來的地心理論。上一課我們提到的自然哲學家埃拉托斯特尼，以地心說為基礎，算出了地球的周長，於是同個世代的另一位學者（也是另一位數學高手）薩摩島的亞里斯塔克（Aristarchus of Samos），也想露一手——計算太陽、月球的大小。只不過這翻筋斗翻過了牆，一不小心就窺見了宇宙中更大的祕密。

翻筋斗我也會！

專心點！聽故事了啦！

亞里斯塔克的 3個三角形

亞里斯塔克
310BC～230BC
古希臘天文學家、數學家

亞里斯塔克，這個名字聽起來或許十分的陌生。的確，世人對於亞里斯塔克的生平知道的不多，只知道他跟數學家畢達哥拉斯（Pythagoras，570BC～495BC）一樣出生在希臘的第九大島——薩摩斯島，而且與大哲學家阿基米德、埃拉托斯特尼生活在同個時期。因為年代久遠，他的天文著作大部分已經失傳，至今只留下一本《關於太陽、月亮的大小與距離》（On the Sizes and Distances of the Sun and Moon）。

亞里斯塔克是一位出色的天文學家，也是數學高手。有一天他想計算太陽和月球的大小、距離，這個聽起來像是「不可能的任務」的任務，他只用了3個三角形，就輕而易舉的辦到了。

首先，第一個三角形是亞里斯塔克透過仔細觀察發現：當月球運行到上弦月的位置時，太陽直射月球，日、月、地三者之間剛好形成一個直角三角形。這時透過測太陽與月球的夾角，得到三角形的3個角度分別是90度、87度、3度。

上弦月 90°　　　　　　　　　　3° 太陽
地球 87°

　　於是他在紙上畫下角度相同的三角形並測量長度，計算出太陽到地球（以下簡稱「日地」）的距離是月球到地球（以下簡稱「月地」）距離的19倍。

上弦月 90°　　　　　　　3° 太陽
1
地球 87°　　　19

　　第二個三角形，是在日食的時候，月球在太陽和地球的中間，日、月邊緣的連線，剛好形成一個等腰三角形。這時把日、月、地中心的連線畫出來，套用第一個三角形得到的月地和日地的距離比是1：19，可以標出圖上地球到月球與到太陽的線段比例，也是這兩個等腰三角形的「高」的比例。

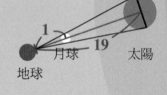

　　透過兩個等腰三角形高的比例，我們可以輕鬆得到「底」的比例，也是1：19。所以太陽的直徑比月球大19倍。

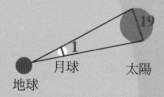

　　最後，第三個三角形則是在月食的時候，「太陽」與「地球的影子」所形成的三角形。他透過月球通過地球陰影的時

間，也就是月食持續的時間，得到了地球的影子大約是月球的2倍大。

最後透過三個相似型的比例，再利用已知的埃拉托斯特尼的地球周長數字（請見第一課），經過大量複雜的數學運算，終於得到了月球和太陽到底有多大。

月球　　地球

太陽

「啊哈！算出來了！根據計算，月球的周長大約是1萬4000公里。而太陽的周長則接近30萬公里！」亞里斯塔克的內心十分雀躍！但是高興很快就被深深的疑惑給取代了。

「這……這怎麼可能？太陽比月球大這麼多？」亞里斯塔克忍不住在心裡叫了出來。

如果他知道太陽在現代測量到的實際數字，應該會更驚訝吧。我們現在知道，太陽的周長是447萬9000公里，比亞里斯塔克計算的30萬公里，足足長了14倍之多！

但這樣的結果已經讓身處2000多年前，長年接受地心說教育的他，不敢相信眼前的數據。因為根據亞里斯多德的模型，地球是宇宙的中心，而月亮和太陽繞著地球轉。眼前這太陽大、地球小的結果完全違背了亞里斯塔克觀察自然現象的直覺。

他在心裡嚷嚷：「大自然裡的東西，通常是小的繞大的旋轉才合理！怎麼會是大大的太陽繞著小小的地球旋轉呢？這到底是地心說錯了，還是我的計算錯誤呢？簡直太不合常理了。」

這三個三角形算法正確，為什麼最後結果卻差這麼多呢？

因為一開始的夾角就有誤差，不是87度，而是89.5度啦！

亞里斯塔克接著想：「一塊石頭綁在細繩子上，如果另一端綁在『細』的樹枝上甩，樹枝一下子就會斷掉。但是如果綁『粗』的樹枝上甩，就能一直一直甩下去。如果太陽比地球來的大，那麼應該是地球繞太陽轉才合乎常理，就像是用粗樹枝甩石頭一樣。」

古希臘自由開放的學術風氣，讓亞里斯塔克不假思索的拋棄了地心說，做出日心說的結論。

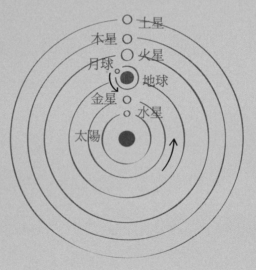

亞里斯塔克的日心說宇宙模型

「或許是偉大的亞里斯多德搞錯了吧……我覺得，應該是最小的月亮繞著地球轉，而地球又繞著大大的太陽轉才對！」亞里斯塔克關於日心說的論調很快的在希臘各地傳播開來。但可惜的是，很少人願意相信他的模型，因為每個人腳下的土地一直都是靜靜如也，根本看不出一絲一毫地球在轉動的證據！更何況，如果地球真的在轉，地球上的人們為什麼站得穩？為什麼不會被甩出去？這要人們如何相信地球真的在繞著太陽在轉呢？

就這樣，亞里斯塔克用精細的數學手法算出來太陽與月亮的大小，卻用粗糙的生活經驗建構日心學說，難怪他的日心說很難挑戰亞里斯多德的地心說。因為一般人也跟他一樣，只用普通的生活經驗感覺不到大地在動的理由，就草率的否定了他的說法。

　　由於不受大眾的肯定與重視，亞里斯塔克關於日心說的著作很快埋沒在歷史灰燼之中。以上所說的故事，還是後人從阿基米德的作品《數沙者》（The Sand Rekoner）中才得以發現這段往事。

　　在書中，阿基米德提道：

　　「……薩摩島的亞里斯塔克提出了一個與現在宇宙模型完全不同的假設，他所設想的宇宙比現在所有人所想得都大得多。他的假設是，太陽固定保持不動，而地球繞著太陽轉；太陽位於中心，而其他星星則距離我們非常遙遠，比地球距離太陽來得遠。」

　　不過，這個日心說的故事遠遠還沒有完。在遙遠的1700年後，它會開出科學的花，結成革命的果實。一個叫做尼古拉・哥白尼（Nicolaus Copernicus，1473～1523）的後輩，將在宗教的恐怖牽制之下，掀起一場無比壯闊的近代科學革命。

快問快答

 亞里斯多德的「地心說」模型，在最外圍的「原始推動者」是什麼呢？

在國中的自然課上，我們已經對於牛頓第一運動定律（又稱慣性定律）的內容——靜者恆靜，動者恆作等速度運動，習以為常。但對兩千多年前的亞里斯多德來說，一個東西之所以會用動，那一定是因為有某個「推動者」在推動它；一旦這位推動者不推了，那東西就會停下來。

比如說，人們朝前方丟出一塊石頭，石頭是因為被人推了一下，所以才往前飛；那脫離了人的手之後呢？亞里斯多德認為，當人在丟石頭的時候，也一併推動了空氣，正是這些被推動了的空氣又往前推動了石頭，因此石頭在脫離人手之後依然可以繼續運動。

但畢竟不是所有的東西都由人推動，例如星星、太陽、月球每天在天空中東升西落，究竟是「誰在推它」呢？亞里斯多德為此假設了一位「原始推動者」，認為在這個以地球為中心的宇宙之外，有某股本身不會移動，但能夠移動其他事物的力量，這股力量就是世界上一切東西運動的起源。

這個概念後來被基督教與上帝畫上等號。

只有全能的上帝，才有這般推動世界萬物的能耐呀！

2 現在的天文學家是怎麼測量月球離地球有多遠呢？

在1950年代之前，人們測量地球與月球之間距離的方法大同小異，仍然是透過觀測月球位置、仰角的變化，再透過數學計算得到結果；到了1950年代以後，人們開始使用雷達、雷射光照向月球，並測量電波、雷射光照到月球後反射回來所需要的時間，再利用光速（請見《科學史上最有梗的20堂物理課》第十九課）換算後得到更加精確的數字。

目前最精確的數據，是來自阿波羅計畫登月成功後，太空人陸續在月球表面放上了幾面反射器，能夠精準且有效率的反射來自地球的雷射光，這才得到今天我們熟知的月地距離約在35萬7000公里到40萬6000公里之間，平均距離約38萬5000公里，並以每年約3.8公分的速度增加中。

值得一提的是，雖然月球是離地球距離最近的天體，但實際上當月地距離最大時，兩者之間

太空人留在月球表面的反射器。

可以放得下水星、金星、火星、木星、土星、天王星，以及海王星等八大行星其他成員，不相信的話就趕快拿起計算機，把八大行星的直徑相加試試看吧！

3 班上有人在研究西洋的占星術，它和天文學一樣時常會提到太陽、月球和行星運行。占星術和天文學之間有什麼關聯嗎？

歷史上曾經有一段時間，天文學跟占星學之間幾乎沒什麼差別。在古巴比倫，天文學家幾乎就是占星學家，他們不只要觀察星象，還要利用天文觀測解釋占星；西元前三世紀，巴比倫的占星術流傳到古希臘，有些學者把它倆當成同一門學問研究。甚至在中世紀，不少天文學家還要以天文觀測幫助國王預測國運；甚至大學的醫學生，也要學習占星術。

但在十七世紀後期「啟蒙運動」興起後，人們越來越相信理性與科學，摒棄對神、神祕學與超自然力量的依賴，天文學也就從此和占星術慢慢區分開來。

占星術表面上是以天體運行來預測未來，但是它沒有科學基礎，普遍被今天的科學家當成是一種「偽科學」。

你們覺得占星術很準嗎？科學家曾經研究2000多個同時出生的嬰兒，發現他們的個性和特質相差很多耶。

那你還要看星座運勢嗎？

呃……我還是認真上課好了。

LIS影音頻道 ▶

【自然系列—地科｜月相盈虧】天文界的三角關係

在埃拉托斯特尼破解了地球的大小後，天文學家亞里斯塔克也想要試試找出月球、太陽有多大。只不過地球、月球、太陽之間的「三角關係」卻讓他嚇了一跳？莫非他發現了什麼祕密嗎？

第3課

從日心到地心
哥白尼

話說上一堂課我們提到亞里斯塔克的日心說，要等到十六世紀後才由哥白尼發揚光大。號稱「現代天文學之父」的哥白尼，想必許多人都不陌生，但是為什麼這個過程需要花上1700年？這麼長的時間中到底發生了什麼事？

這個問題的答案，一來是因為亞里斯塔克的日心說，觀念超前時代太多，無論是觀測技術或是守舊的觀念要真正脫胎換骨，的確得花上不少時間。另一個原因則是大環境的變化使然，畢竟古希臘是現代科學的萌芽之地，而古希臘的命運，也就直接影響了科學發展的命運。

羅馬帝國在西元117年全盛時期範圍

大西洋

歐洲

黑海

地中海

非洲

亞洲

科學黯淡的1000年

西元前146年，古希臘被來自北方的異邦羅馬征服。隨著羅馬帝國在西元二世紀進入全盛時期，建立起橫跨歐、亞、非三洲的龐大帝國，原本研究純粹科學的學術風氣卻慢慢沉寂下來。因為一板一眼的羅馬人性格與自由浪漫的希臘人非常不同，羅馬人強調「實用」，重視的是軍事防禦、城市建設、工程設計；對於希臘人那些「為了研究而研究的研究」自然不感興趣。

再加上後來，基督教的勢力在羅馬逐漸壯大，古希臘的自然哲學家更沒什麼好日子過。因為羅馬人和信徒相信，神已經用神的話語解釋了大自然，而希臘哲學家這批凡夫俗子竟想挑戰上帝，打著「科學」的幌子來解釋自然萬象？因此，他們把希臘的自然哲學打成「異端邪說」，逮到機會就冷酷無情的進行打壓。

為了研究而研究的研究？
真沒用！

這個壓迫的情況到了西元380年後變得更糟。當時基督教已經正式成為羅馬的「國教」，有時候為了討好教會，就連羅馬皇帝都會放任基督徒燒毀希臘書籍、強拆希臘神廟。

亞里斯塔克關於日心說的著作是不是在這時慘遭毒手？沒人知道，但不少殘存的希臘哲學家的確在此時逃到東方，聚集在對希臘哲學相對友善的拜占庭（即東羅馬帝國）和波斯帝國苟延殘喘。

但是不妙的是，基督教的打壓還沒有完，阿拉伯的伊斯蘭教徒又加入陣容。他們攻進埃及的學術中心亞歷山卓（那裡的圖書館收錄著許多古希臘哲學家的書籍），把全城上下的希臘書籍拿來給公共浴室燒洗澡水，對希臘哲學又造成一次嚴重的打擊。

就這樣，科學的誕生之地歐洲，進入了將近千年之久的「黑暗時期」。從西元五世紀西羅馬帝國滅亡，一直到十四世紀「文藝復興」運動之前，歐洲人從出生到死亡的一切都陷入教皇和教會的嚴格管控。如果有人膽敢不從或提出異議，教會就會出手壓制或嚴厲懲罰。

在這段沒有自由的歲月裡，藝術家只能畫神的事蹟、文學家只能寫神的話語、哲學家只能討論神的世界。那麼科學家呢？既然上帝都已經解釋世間一切的真理了，哪還需要科學家怪里怪氣的在旁邊多嘴？難怪那個時代幾乎沒有進步，整個歐洲彷彿浸泡在死氣沉沉的黑暗之中。

外語中倖存的學術遺產

然而到了十四世紀末，「文藝復興」運動的興起終結了「黑暗時代」。這股風潮從義大利興起，吹向歐洲各地，鼓吹人們應該重新學習希臘羅馬時代的哲學、文化與理性思考，把眼光從「神」與「天堂」，重新拉回到「人」與「真實世界」的身上。

這場運動不但使文學、藝術大放光采，也使得原本被丟棄的希臘科學，終於有機會重新回到歐洲的舞臺。

在當初阿拉伯的伊斯蘭教徒打壓希臘哲學時，阿拉伯的知識分子卻從波斯獲得了許多希臘書籍，由此繼承並保留了古希臘的學術遺產，這些書也從希臘文被翻譯成阿拉伯文；到了文藝復興時代，這些學術遺產又從阿拉伯文被譯為當時歐洲學術界慣用的拉丁文，重新傳回歐洲。

就是這個從「出口」轉「進口」的「大翻譯」運動，使得歐洲人重新接觸了希臘的科學思想，其中包括記載在阿基米德《數沙者》中亞里斯塔克的日心說。

但受到挑戰的教會不會惱羞成怒、強力反擊？以下就讓我們看看，哥白尼是怎麼受到千年前的前人啟發，對這個處於陣痛的時代丟出震撼彈吧！

世界繞著地球轉嗎？

> 偷偷告訴你，繞著太陽才對啦！

尼古拉·哥白尼
1473～1543
波蘭天文學家、數學家

在哥白尼生長的時代，受到教會重重箝制的歐洲，並不是完全沒有天文學，只是這個天文學，是經過教會認可、基本上符合教義的天文學。在此之前，歐洲人民被教會灌輸的是「宇宙帳篷理論」。也就是說，宇宙是個大帳篷，天空是篷蓋，蓋住了整個大地；日月星辰對懸掛在天篷閃耀，照耀著世界的中心——聖地耶路撒冷。

> 歡迎來到宇宙帳篷！

由此可見黑暗時代真的知識倒退。因為古希臘的觀念至少還有個「地圓說」（請見第一

課），進入了黑暗時代以後，反倒連地球是圓球的概念都消失了。

　　到了十一到十三世紀，狂熱的基督徒發動了「十字軍東征」，原本是想從阿拉伯人手中奪回聖城耶路撒冷，沒想到軍事活動卻演變成打砸搶劫。在被基督徒搶回的戰利品中，就包括了阿拉伯人保留下來的古希臘著作。這使得連同「地心說」在內的整套亞里斯多德自然哲學（請見《科學史上最有梗的20堂物理課》第一課）在歐洲復活。

　　剛開始教會很不開心，怕亞里斯多德和其他希臘哲人的思想「汙染」了人們純潔的信仰，所以曾經三度頒發禁令，禁止傳授亞里斯多德的學說。但是無奈的是，越是禁止人們就越好奇、越渴望學習亞里斯多德的精彩思想；以致於教會乾脆來個「豬羊變色」，派出神學家托馬斯．阿奎那（Thomas Aquinas，1225～1274），把亞里斯多德的理論融入基督教的神學。

　　如此一來，亞里斯多德的一切突然從「異端邪說」搖身一變，變成「神聖高尚」！尤其是經過托勒密（Claudius Ptolemaeus，100～170）

嗯嗯，宇宙是以地球為中心，包在外圍的透明大球

托勒密的地心說宇宙模型

改良過的地球中心理論，更一躍成為教會所認可的正統宇宙思想。

　　托勒密和亞里斯多德的地心論認為，天上的恆星鑲嵌在一個巨大的透明「天球」上，隨著天球繞著地球旋轉；除了恆星之外，肉眼可見的其他五顆行星和太陽，也同樣以完美的正圓形繞著地球轉動。

從此之後幾百年間，人們一直認為地球是宇宙的中心，地位比其他星星來得重要；天上的眾星包括月球、太陽，通通繞著地球旋轉。而上帝呢？更在眾星之上，懷抱著地球與地球的子民，神聖的推動整個宇宙的運行。

這樣子的地心說很是符合教會的胃口，因為唯有這樣才能彰顯出地球與人類的重要性，上帝才能注視著人們的一舉一動，人們也才能幸福的沐浴在上帝的光輝之中。

只是這樣硬湊在一起的組合，經不起時間考驗。當天文學家實際的觀測經驗愈來愈多，這套地心理論就越來越顯得破綻百出。比方說，行星的運動有時往東，有時往西，形成了奇怪的逆行現象，並不像亞里斯多德和托勒密所說的那樣，呈現完美和諧的正圓形運動。

但！是！偉大的上帝所認可的天文模型怎麼可能出錯？一定是我們人類對它的認識不夠清楚！於是為了「拯救」與事實不合的地心理論，天文學家只好在行星上加上個輪子──「本輪」，和行星繞著地球轉的大輪子「均輪」。強調行星在較小的本輪上轉動，而本輪的圓心又乖巧的沿著均輪繞著地球旋轉。

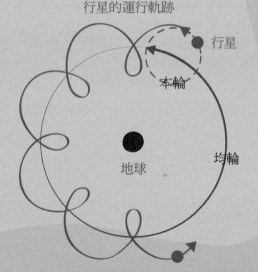

行星的運行軌跡

行星

本輪

地球

均輪

如此一個一個加上的大小輪子，到了哥白尼的時代，已經瘋狂的達到80幾個！這使得當時的天體運行圖顯得非常複雜——呃，或者可以說——非常混亂；這種混亂的現象引起部分天文學家的不滿與質疑。

被一次次修改過的天體運行圖，
變得十分紊亂。

其中一位，就是從小在教會長大、舅舅貴為主教，而自己又擔任過教士，甚至競選過主教的天文學家——哥白尼。

哥白尼年輕時，在義大利一共住了10年，受盡了文藝復興精神的洗禮。1506年，他返回波蘭的故鄉，白天是舅舅的祕書、教會的醫生；晚上搖身一變，變成觀測星空、計算行星運動的天文學家。

哥白尼在1539年的巨作《天體運行論》（On the Revolutions of the Heavenly Spheres）中，簡單寫出了他為什麼質疑地心說的想法：

「……我對傳統天文學關於天球運動的混亂狀態思考很久了。想到自然哲學家們無法確實理解，最美好和最靈巧的造物主為我們創造的世界機器是如何轉動，讓我感到十分懊惱……」

換句話說，哥白尼仍舊相信世界是由上帝創造，只是人們無法理解上帝的精心設計。這讓他感到難過，所以下定決心改革傳統的地球中心理論。他繼續說：

「……所以我重讀所有我能找到的自然哲學家們的著作，希望了解是否有人提出過有別於與天文學教師在學校裡所教的天球運動。實際上，我首先在西塞羅（Cicero，106BC～43BC）的著作中查到，希切塔斯（Hicetas，400 BC～335BC）設想過地球在運動；我在普魯塔克（Plutarch，46～125）的作品中也發現，還有別人持有這一見解，讓我受到啟發，開始考慮地球的可動性。」

他還小心的解釋：「……雖然這個想法似乎很荒唐，但我知道出於解釋天文現象的目的，我的前輩已經隨意設想出各種各樣的圓周。因此我想，我也可以用地球有某種運動的假設，來確定是否可以找到比我的先行者更可靠的解釋。」

就這樣，哥白尼把宇宙的中心從地球改到了太陽，並且重新計算其他行星的運行軌跡，得出了一個看起來規規矩矩的模型。

該不該出版呢？傷腦筋……

我得承認，你書裡的日心說看起來簡單明瞭多了。

哥白尼

日心說反對者

你說，跟亂七八糟的地心說相比，日心說是不是顯得簡潔有力、規律許多呢？

　　這樣的日心說，使得上帝的宇宙變得秩序井然。但不知道是害怕天文學界的批評或是教會的責難，哥白尼並沒有馬上公開發表這個模型。直到生命的最後幾年，哥白尼才終於答應讓他的《天體運行論》出版面世。據說在他死前，《天體運行輪》才印好並送到哥白尼的面前，他用手撫摸著放在病榻前的書本，不久就閉上眼睛安然離世了。

　　而神祕的是，或許是教會害怕人們把哥白尼當成英雄瞻仰，日後想追思這位被尊為「現代天文學之父」的人，幾百年來卻一直找不到哥白尼下葬的地方……

　　說到這裡，你以為「離經叛道」的日心說一經公開，教會的人會馬上反彈起來嗎？其實並沒有。因為，幫哥白尼處理出版工作的人──奧西安德（Andreas Osiander，1498～1552）下了一個伏筆。

　　為了害怕哥白尼的理論對教會刺激太大，他擅自作主在書的前面加了一篇序言：〈告讀者──關於本書的假設〉，假裝哥白尼只是建構了一個數學模型以方便計算，並不是對真實宇宙的真實描寫。

　　再加上這篇序言沒有署名，使得許多人誤以為哥白尼不是在講天體實際的運行，這讓哥白尼得以逃過教會的批判，在日心說面世後的60年間只引來零零星星的批評。

不過紙終究包不住火，明眼人一看就知道哥白尼所說的日心說是來真的。這些聰明人包括後來的克卜勒（Johannes Kepler，1571～1630）、伽利略（Galileo Galilei，1564～1642）、布魯諾（Giordano Bruno，1548～1600）、牛頓（Isaac Newton，1643～1727）等人。其中伽利略為了維護哥白尼的日心說而被教會終身軟禁，堅持真理不願屈服的布魯諾更被教會架上火刑柱，活活燒死！（請見《科學史上最有梗的20堂物理課》第四課）

這就是曙光從黑暗誕生時，無法避免的陣痛。

但是真理經得起時間的考驗。哥白尼的日心說在科學界漸漸醞釀，不但改變了世人看待世界的方法，更引發一波波近代科學革命的浪潮。到了1687年，牛頓發表萬有引力定律，終於證實日心說為真。

2005年，人們在法蘭伯克教堂底下，找到一個沒有名字的墳墓。經由2撮頭髮和1顆牙齒的DNA檢測，確定正是哥白尼的遺骨。於是波蘭有座大教堂重新為哥白尼安葬，並由1位牧師代表，對教會早期對哥白尼的抨擊表示遺憾。

快問快答 ||||||||||||||||||||||||||||||||||||||||||||||

1 根據哥白尼的日心說，地球是繞著太陽一邊公轉、一邊自轉，但是地球上的我們，為什麼不會感覺到有強風或頭暈想吐呢？

地球以超過1600公里的時速快速自轉，可是我們卻不會因此感到強風或是頭暈想吐，這是因為不管是空氣或是站在地球上的我們，都同時以相同的速度跟著地球旋轉。

換句話說，雖然人、空氣和環境中的所有東西如果從外太空看的確都有在動，但因為速度、方向都一樣，但彼此之間沒有「相對的」運動。所以我們不會覺得風在吹，自然也不會頭暈反胃了。

2 為什麼地球會繞著太陽不停轉動？地球公轉的方向為什麼是逆時針，而不是順時針呢？

其實不只是地球。如果我們從北極上空的無限遠處往下俯瞰整個太陽系，會發現包括地球在內的八大行星，都是以逆時針方向繞著太陽公轉的。

這是因為大約在46億年前太陽系剛要形成的時候，形成太陽系的氫氣雲就是以逆時針的方向運行。後來，這些氫氣雲的氣體分子與塵埃逐漸凝聚成行星，這些行星在沒有外力干擾下，當然維持原來的方向繼續旋轉，也就是我們現在看到的逆時針方向囉！

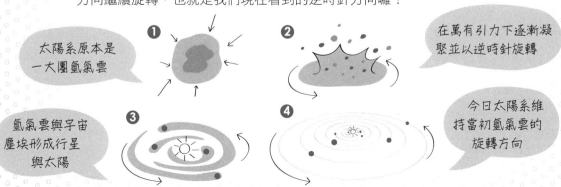

3 為什麼地球不只會公轉，也會自轉呢？

地球自轉跟公轉是同樣的道理。形成原始地球的氫氣雲，原本就以逆時針的方向緩慢旋轉，所以當地球形成後，自然也以逆時針的方向緩慢自轉。

不過，你可千萬別以為，地球每一天都乖乖以24小時自轉一圈！地球上的大氣環流、潮汐、洋流，甚至地底下的岩漿對流，時時刻刻都在變化；這使得地球自轉一圈的時間有時快、有時慢，只是時間相差只有1/1000秒或1/2000秒，人們根本無感。

不過，長期來說，地球的自轉其實有越來越慢的趨勢。因為月亮引力引起的潮汐來來回回摩擦地表，就像貼在地表的「剎車皮」讓地球慢慢減速。根據化石證據，4億年前的地球一天只有22個小時！那麼再2億年後呢？如果人類還沒有滅亡的話，一天就有25個小時可用了！

你確定你等得到那時候嗎？

多1小時？那打球的時間也更多囉！

LIS影音頻道 ▶

【自然系列—地科｜地球公自轉】天旋地轉之爭
看著太陽、星星、月球東升西落，再看看手上教會都說讚的天體運行圖，哥白尼越想越不對勁……

【自然系列—地科｜四季變化】宇宙才不繞著你轉呢
哥白尼在提出了地球自轉、公轉解釋了「年」與「日」的行程之後，再度提出了對四季變化的解釋。這次教會會輕易放過他嗎？

第4課

讀懂地層的歷史

斯蒂諾

時間像一條漫漫長河，悠悠流進十七世紀。十七世紀的歐洲，正在經歷一場理性與感性對決的「啟蒙時代」。什麼是啟蒙時代？啟蒙時代又啟蒙了些什麼？原來，啟蒙時代是人們相信若要改善人類的生活，應該大膽用獨立的「理性」或「科學」態度，去尋找知識和方法，而不該像過去一樣唯唯諾諾、事事遵循神所教導的知識與教條來認識世界。

但是，十七世紀也是一個青澀的時代。就像一群青少年想要蛻變成大人，嘴裡嚷著大人都不懂，要用自己的方法解決問題；但真正遇到問題時，還是有人當縮頭烏龜，擺脫不了對爸媽的依賴。

偏偏地質學這門科學，就是在這種環境之下誕生。怎麼說呢？這個故事要從「化石」這件事開始講起……

土裡挖出的怪東西

從十六世紀開始，「採礦」這個產業在歐洲慢慢興盛。進入十七世紀以後，人們對地底下的岩石、地層越來越熟悉，也越加需要真正的

地質知識來解決挖礦時所遇到的問題。當時的採礦業是用簡單的機械和大量的人力開發礦場，人們就這樣挖呀挖的，越來越多人在地層中挖到「化石」，但化石是怎麼形成的，卻沒有人能分清楚、說明白。

不過先解釋一下，當時人們所說的「化石」，可不是許多人以為的由生物死亡後所形成的「化石」喔。「fossil」這個單字，一開始的意思只是說明「從地底下挖出來的東西」，並不是像今天一樣專指生物死亡之後所留下來的遺骸或生活痕跡。

嗨～大家好，
我又出場了。

亞里斯多德

好像真的很常看到你。

西元前四世紀，古希臘三大哲人之一的亞里斯多德認為，世界上的物質都是由水、火、土、氣這四種元素所構成的。他認為化石的形成是生物遺骸透過類似「蒸發」的過程，在土壤中經過不斷乾燥與壓縮後，就會漸漸固體化而形成化石。

在西元1027年，波斯哲學家伊本‧西那（Ibn Sina，980～1037）進一步解釋亞里斯多德的理論，認為化石的確與生物遺骸有關，只不過這些殘骸經過石化作用，雖然保有生物的外型，但是內部的柔軟組織已經被岩石礦物取代，變成我們所看見的化石。

伊本‧西那的理論跟我們現代的認知已經非常接近。但是科學家們可沒有這麼容易被說服，到十七世紀這2000年來，他們對於化石究竟是什麼，一直沒有達成共識。

進入十七世紀以後，科學家們對於化石的成因更分裂成兩派。一派是遵循聖經傳統思想的守舊派，他們相信化石的形成跟聖經裡描述的大洪水事件有關。

據說大洪水的起因是因為當時的人間充滿罪惡，上帝決定降下洪水消滅人類。當時，連續40個晝夜的大雨引發洪水淹沒地表，土石泥砂與生物的屍體跟著洪水四處漂流，最後水退時土石沉澱，造成地表的高低起伏，形成高山、平原與盆地；這也能解釋為什麼在遠離海邊的高山上會出現貝殼的化石，因為海中的貝類被洪水沖到山上，死亡後留下貝殼。這個學派被人稱之為「水成學派」。

伊本‧西那
980～1037
波斯自然哲學家

而另外一派則認為根本不關聖經的事，化石只不過是在地層裡面生長，外觀類似生物的岩石而已，所以就算高山長出1顆像貝殼的石頭，也不是什麼大不了的事。

這一派的自然學者基爾學（Athanasius Kircher，1602～1680）更浪漫的認為：宇宙萬物息息相關，所以有些微小物體會「感應」地球上的物種，長成與該種生物相似的外形。這樣的想法在十七世紀蔚為風潮，其中一個例子，就是從岩石間挖出的「舌石」（glossopetrae或tongue stone）。不少科學家認為，舌石是從岩石中自然而然長出來的，是介於生物和非生物之間的物質，只是外型恰好很像鯊魚的牙齒。

聖經上的大洪水故事提到，上帝降下洪水之前，命令諾亞打造諾亞方舟；當洪水來臨毀滅世界時，諾亞一家人及各種動物各一對，都在方舟裡安全渡過洪水。

你看，這舌石像不像舌頭？

沒辦法在十七世紀看過鯊魚的人其實很少。

不過，有一個人翻轉了這個想法，並且更進一步發現了地層形成的祕密。這個人名叫尼古拉斯·斯蒂諾（Nicolaus Steno），他原本是一位擅長解剖學的醫生，沒想到卻無意間闖入地質世界，「解剖」了地層不說，還從此為地質學打開了一扇新的大門。

是舌石？
還是鯊魚牙齒？

讓我好好研究研究～

尼古拉斯・斯蒂諾
1638～1686
丹麥解剖學家、地質學家

斯蒂諾從小體弱多病，沒辦法跟著同齡的小朋友玩，所以大多半的時間，他都是跟著大人們，聽著他們之間的閒聊。不過還好，斯蒂諾對於這些談話並不覺得無聊，還經常覺得大人們談論的知識很有趣。

隨著年紀漸漸增長，斯蒂諾追求知識的欲望也越來越強烈。進入大學時，他先專心攻讀醫科，爾後又周遊列國，與許多科學家研究交流。在這之中，解剖學引發了他的興趣，於是斯蒂諾開始進修解剖學，找到從動物腮腺到口腔的通道──腮腺管，成為名滿天下的解剖學家，並曾在義大利巴都亞大學（University of Padua）教授解剖科學。

在1666年的某一天，利沃諾（Livorno）地方的漁民捕到一條大鯊魚，當地的托斯卡納大公（Grand Duke of Tuscany）命令漁民將鯊魚的頭送給斯蒂諾，供他解剖研究。

斯蒂諾收到鯊魚頭後，越解剖心裡卻越納悶。他心裡想：「不管是外形的大小或是牙齒邊緣的細節，舌石和鯊魚牙齒幾乎一模一樣……難道……舌石就是鯊魚牙齒？兩者根本是同一種東西吧？」

斯蒂諾決定查個水落石出，先從舌石形成的原因下手。他閱讀了兩派學者的理論，「只是恰巧長得像」那一派，根本無法說服斯蒂諾，因為舌石和鯊魚牙齒的相似度幾近百分之百，不太可能只是巧合。

真奇怪，鯊魚的牙齒和山上挖到的「舌石」未免也長得太像了吧？

斯蒂諾在比較了現切鯊魚頭的牙齒以及舌石後，發現二者高度相似，並在1667年公佈了這個發現，成為歷史上頭幾位將化石認定為來自生物的人。

相反的，做為一位虔誠的基督徒，聖經大洪水說的一派對他更有說服力。換句話說，斯蒂諾相信舌石就等於鯊魚的牙齒，是在大洪水來臨時，從海邊被沖到山上的鯊魚遺體留下來的。在斯蒂諾繼續研究各式各樣的鯊魚牙齒，並且與舌石仔細的比對後，他發現手上的舌石其實是一種已絕種鯊魚的牙齒。

而且，斯蒂諾考察了出現舌石的岩石，發現舌石與周遭岩石緊密的鑲嵌在一起。如果舌石是「從岩石內部生長」，那麼舌石應該會被堅硬的岩石壓迫，產生扭曲的形狀，不太可能跟鯊魚牙齒長得那麼像。所以，應該有其他的原因，才讓舌石被鑲嵌在岩石裡。

於是，斯蒂諾開始查閱前人對舌石形成的看法。結果找著找著，竟然發現了文藝復興時期的大師達文西（Leonardo da Vinci，1452～1519）的手稿。達文西在手稿中記載著自己的見解：

海邊的岩層上生長、吸附著許多貝殼，而近海邊的岩層內同樣出現了許多貝殼。海邊與近海處的貝殼根本上是一樣的，看來化石應該是生物的遺骸。

李奧納多・達文西

1452～1519

義大利的博學家

斯蒂諾讀到這，信心大增，可是高興沒多久，心裡又著急了起來。因為達文西的見解雖然跟他一樣，但是兩個人的理論同樣缺乏決定性的證據。

「糟糕，我又不可能直接觀察鯊魚的死亡過程，怎麼辦呢？」斯蒂諾想，「我還需要其他證據！」

還好過沒多久，他就找到義大利博學家科羅納（Fabio Colonna，1567～1640）在1616年所做的實驗。

一開始，科羅納的作法跟斯蒂諾十分相似，他們同樣利用

法比奧·科羅納
1567～1640
義大利博物學家

解剖學的技巧，比對了好幾種鯊魚牙齒和舌石的構造。不過科羅納進行了另外一個高明的實驗，他心想，如果舌石真的等於鯊魚的牙齒，那麼舌石中應該含有生物所特有的有機物質。

所以，他用火同時燃燒舌石和鯊魚牙齒，發現燒完之後，兩者的灰燼都含有相同的碳化物質，證實了舌石和鯊齒含有相同的物質。這讓興奮的斯蒂諾終於可以大膽的將舌石和鯊魚牙齒畫上等號。

好了，這下萬事俱備，斯蒂諾準備大顯身手建構自己的化石理論：

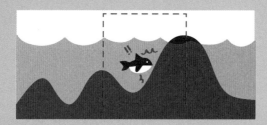

①聖經上記載的大洪水事件發生時，鯊魚隨著洪水被沖上山頭。

②鯊魚死亡、腐爛之後，堅硬的牙齒、骨骼這些較重的物質，先沉澱到水的底部。

③之後泥沙也慢慢沉澱，覆蓋在鯊魚的牙齒之上。泥沙的重量把鯊魚牙齒和四周的岩層緊密的壓在一起。

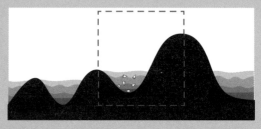

④當洪水消退之後，暴露在空氣中的土石泥沙慢慢在被蒸乾的過程中膠結固化，鯊魚的牙齒或其他殘餘部位就被保留下來，形成了化石，也就是人們看到的舌石。

有趣的是，可能是解剖學的「職業病」使然，斯蒂諾在研究化石的過程中，也對岩層的構造產生了興趣。

他到訪義大利托斯卡尼（Tuscany）近郊，看到當地的岩層就像被解剖開來的生物組織，具有一層一層不同的層狀構造。這些岩層界限分明，具有不同的顏色、化石，就連沉積物的大小、成分都不盡相同。

這讓斯蒂諾在心中回想起，他曾經在老師奧勒博克（Ole Borch，1626～1690）的工作室看過一個沉積實驗──不管底部的石塊多麼凹凸不平，上方堆積的細小沉積物都會呈現出一個平滑的水平面。

「對！應該就是這樣！」他的腦海靈光乍現，「化石和沉積物是在大洪水時共同形成的，所以岩層形成的過程應該也是類似這樣，一層一層堆疊上去的！」

奧勒・博克

1626～1690

丹麥的醫師、詩人、博物學家

斯蒂諾相信，沉積物要形成堅固的岩層，必須等洪水退去，沉積物才能乾燥固化。所以每一層岩層，都代表著一次不同時期的洪水事件；聖經上記載的大洪水並非只有一次，而是發生過非常非常多次。

「我知道了！地球的岩層形成過程就像這樣──岩石和礦物在固化之前，均勻溶解在大洪水中，之後這些物質開始沉澱在最底下，經過壓密膠結與固化，形成岩層之後，再陸續由下往上，一層層的沉積新的岩層。而在沉積的過程因為受到重力影響，所以會以水平、平整的方式沉積，形成我們所見到的水平地層！」。

這就是流傳後世的斯蒂諾**沉積定律**──「**原始水平定律**」與「**疊置定律**」。

原始水平定律	疊置定律
岩層在單純受到重力的影響之下，會以「水平」的方式沉積。所以如果岩層不是水平，就知道它們一定有受到外力干擾。	位於下方的岩層，形成的時間會比上方古老，所以最上一層最年輕，最下一層最古老。而如果岩層疊置的順序被改變，就表示構造曾經被地層作用改造。

　　就這樣，斯蒂諾成為人類史上第一個會透過實地考察的方法來進行研究的真正地質學家。有一次，斯蒂諾在義大利佛羅倫斯的亞平寧山脈中（Apennine Mountains），發現了一組特別的岩層，上面充滿各式各樣的化石，下面卻什麼都沒有！

　　他認為這可以充分解釋他心目中的理論模型：「下方的地層沉積一定是發生在諾亞大洪水之前，當時這裡沒有什麼生物，所以地層裡自然沒有什麼化石；之後，諾亞大洪水把一大堆生物沖到這裡，這些生物死亡後才形成了富含化石的岩層。」

斯蒂諾就是這樣一個身在理性的啟蒙時代，卻依然遵循著舊約聖經想法的奇特地質學家。雖然他用聖經故事解釋地層，出發點不夠客觀，後來也放棄科學研究，正式成為主教。但是他的「沉積定律」，至今仍然適用，也為後世的科學家揭露了一個祕密——原來，在人們腳底下的地層記錄了各式各樣的地質事件，只要願意研究、分析，就能重新發現遙遠壯闊的地球歷史。

老師，你看這切開的蛋糕
曾經發生過什麼故事？

拜託，
蛋糕又不是地層。

快問快答

 以前的歐洲人把鯊魚牙齒稱為「舌石」，是因為很像人的舌頭嗎？

不是的，當時的歐洲人認為這些在岩石中的三角形物體是「蛇的舌頭」，唸起來像不像在繞口令呢？

在聖經的故事中，使徒聖保羅在一次被毒蛇咬傷後，不但沒有受到毒液影響，反而將蛇變成了石頭──當然也包括了蛇分叉的舌頭。當時人們在看到三角形的鯊魚牙齒化石時，想起了聖保羅的故事，因而認為這應該就是變成石頭的蛇舌頭，所以將它們稱為「舌石」；甚至進一步相信舌石具備解毒、治療疾病的功能，因此經常作為配戴用的飾品，或是磨成粉末服用。

有趣的是，在東方的國家──日本，反而有截然不同的聯想。江戶時期的日本人普遍認為，這些三角形狀的石頭是妖怪「天狗」的爪子；尤其是「巨齒鯊」一類的已滅絕巨形鯊魚，單顆牙齒的尺寸有成人的手掌那麼大，更增加了人們無限的想像空間，甚至會將這些天狗爪子供奉在神社中。

我也覺得它比較像爪子。

巨齒鯊（左）的牙齒比起現生大白鯊（右）要大上許多。

2 除了把牙齒化石當成舌頭、爪子，還有其他古生物化石也曾經被誤會過嗎？

希臘神話相傳在地中海的西西里島上住了3位獨眼巨人，他們不僅身材高大，臉上還只有1隻大眼睛，外觀看起來有些恐怖。

不過在1914年，奧地利的古生物學家奧特尼奧・亞伯（Othenio Abel，1875～1947）認為，獨眼巨人的傳說起源於地中海島嶼上的古生物——歐洲矮象（*Palaeoloxodon antiquus falconeri*）。歐洲矮象是曾經生活在地中海島嶼群上的好幾種侏儒大象之一，雖然身形只有1公尺高，相當迷你，但頭部比起人類還是大上不少。

而大象的頭骨正面有個凹洞，這裡是大象「鼻骨」的位置，連接著大象豐富發達的鼻子肌肉。在那個古生物學尚未發達的年代，古希臘人將島上的古象頭骨誤認為巨人的頭骨，還將鼻骨凹陷處當作頭骨上眼球的位置，因此創造出一位有著獨眼、帶著獠牙的神話角色。

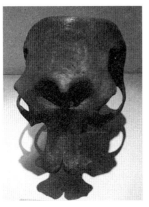 

古希臘人想像力真是豐富哇……

在希臘薩索斯島上發現的獨眼巨人大理石雕塑（右），與古生物學家發現的歐洲矮象頭骨化石（左）。

3 如果不是因為聖經說的大洪水，為什麼陸地上會出現海洋生物的化石呢？

目前科學無法證明「大洪水」是不是真的，但地球在數十億年的歲月中倒是有很多「地殼變動」的機會，能讓原本海洋裡的化石隨著地殼隆起出現在高山上。

想像一下，原本有隻鯊魚死亡後在海底形成化石；數千年後，當地出現造山運動、海底隆起形成了陸地，鯊魚化石也跟著出現在陸地上了。

反過來說，像是臺灣海峽在冰河時期曾經露出水面，有許多陸地動物生活在這裡；後來冰河時期結束、海水上升，在陸地形成的化石也隨之淹沒。這就是為什麼有些漁民在臺灣海峽捕魚時，會撈到鹿、象、水牛化石的原因了。

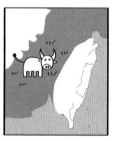
冰河時期海水面比現在還低約130公尺，臺灣海峽並不存在。

冰期即將結束時，海水上升淹沒部分陸地。

現今的臺灣海峽平均水深50公尺。

LIS影音頻道 ▶

【自然系列─地科｜沉積岩】神之地球解剖術

在距離海洋很遠的山上，竟然找到了很像鯊魚牙齒的東西？身為醫學解剖好手的斯蒂諾，這次竟然決定──解剖地球！

解開潮汐的祕密

牛頓

潮汐、潮汐，早潮曰「潮」，晚潮曰「汐」。在人類的歷史中，古人老早就發現海水每天早晚共會漲潮2次的自然現象。

但是千百年來，這種現象一直保持神祕，有識之士只能隱隱約約的感覺到，海水漲落的規律跟月球脫不了關係。中國東漢的哲學家王充（27～97）在《論衡》中就寫道：「濤之起也，隨月盛衰。」宋朝的學者余靖（1000～1064）在《海潮圖序》中也說：「潮之漲退，海非增減，蓋月之所臨，則水往從之。」意思是海水雖然會漲潮、退潮，並不是由於海水增加或減少，而是因為月球出現在上空，海水跟著月球而漲升而已。

月球究竟有什麼神奇魔力，能使廣闊無邊的海水大規模的漲潮又退潮呢？在十七世紀以前，根本沒人知道。

乾潮

滿潮

去玩水囉

退潮退到最低水位時叫「乾潮」，漲潮漲到最高水位叫「滿潮」。

都沒在聽。

潮汐是因為地球在動嗎？

西元1632年，西方的大
科學家伽利略（Galileo
Galilei）嘗試說明潮汐的成
因。在他的著作《關於托勒密與
哥白尼兩大世界體系的對話》（Dialogo
sopra i due massimi sistemi del mondo）
中是這麼說的：

潮汐只不過是「地球的
自轉與公轉，導致地球
表面的運動加速、
減速所引發海水的往前、
往後湧動」而已。

伽利略

1564～1642

義大利物理學家、
數學家、天文學家

伽利略是當代最負盛名的科學家，在天文、
物理上的成就也讓後人尊他為「科學方法之
父」或「現代物理學之父」，但是他解釋潮汐
的理論卻出現了明顯的錯誤。因為如果照他的推論，潮汐與地球的自轉有
關的話，地球一天只自轉一圈，那麼一天應該只會漲潮一次，而不是世界
各地普遍觀察到的2次。

一天2次這種反常現象，不
過是因為海洋形狀、
深度或其他問題導致的，
基本上可以忽略。

伽利略

是嗎～

不行吧～

而究竟今日課本上所說的潮汐成因，是由哪一位神人解開的呢？那就是
站在巨人伽利略的肩膀上、脾氣一直很牛的牛頓（Isaac Newton）（為
什麼脾氣很牛呢？請見《科學史上最有梗的20堂物理課》第九課）。神
人一出手，便知有沒有，以下就是神人牛頓思考潮汐起因的起承轉合，讓
我們也跟著他的思考三部曲，神一回吧！

月亮、潮汐、流星雨

艾薩克・牛頓
1643～1727
英國物理學家、數學家、
煉金術士

牛頓是大家耳熟能詳的大科學家。但是可能較少人知道，對家人來說，牛頓其實是個性格孤僻、舉止怪異，脾氣很「牛」又不好相處的人。

這從他威脅自己的媽媽、繼父，甚至揚言要燒掉家裡的房子，可以看得出來。不過吵架歸吵架，家人畢竟還是家人。當1665年，倫敦的黑死病大爆發，死了將近1/5人口時，剛從劍橋大學畢業的牛頓，還是躲回母親的身邊，在家裡的農場閉關2年。

這2年，大學生牛頓可沒有渾渾噩噩的虛度時光。他積極的研究二項式定理、力學、光學，還有萬有引力的問題。這些深入的思考雖然大部分還只是初具雛形，但是都在不知不覺間已經為他未來的學術成就奠下根基。其中很重要的一項，就包括利用「萬有引力」的理論，解釋潮汐的現象與形成原因。

1667年，大倫敦地區的黑死病疫情終於過去。牛頓回到母校，想要攻讀更高的學位。可惜當時還是個政治與宗教不分的年代，牛頓因為宗教觀念「不正確」，一直沒有辦法拿到正式的學籍；甚至在2年後，牛頓在整個學術界已經聲名大噪，學校想要聘他擔任「盧卡斯數學教席」，也是因為宗教因素，使得聘任的流程卡關，遲遲沒有下落。

　　當時劍橋大學的教授都必須是經過任命的「聖公會」牧師，但是盧卡斯教席的條件比較特別，因為希望擁有這個職位的人把時間多多用在科學研究上，所以盧卡斯教席的教授最好不要過度參與教堂的活動。

　　於是牛頓要求學校免除他擔任牧師的條件，但是這需要當時英國國王查理二世的許可。還好國王接受了牛頓的請求，讓他能夠避開宗教問題順利當上劍橋大學的教授。可見，當時的牛頓在科學界已經具有無可取代的份量，這也在他成為教授之後，愈發顯現出來。

　　牛頓教授的野心很大，他想要統合以往讀到的、想到的各種運動與力學的關係，建立一套「大一統」的理論來解釋宇宙。簡單說，就是只要找到一個簡單有力的公式，就可以用來解釋許多看似不同的力學現象。

　　為此，他先整理當代幾位科學家已經發表的成果，分析並歸納出萬有引力定律（除了牛頓之外，虎克也是萬有引力的共同發現者，牛頓與虎克間的愛恨情仇，請看《史上最有梗的20堂物理》第十課），然後再以這個定律為基礎，開始剖析自然界現象背後的運作原理。

故事是從1670年開始的。有一天,牛頓逐一分析的自然現象總算輪到了「潮汐」,但是他的成功過程,並不是一步到位,而是分成了「三部曲」。

推理一

首先,從最簡單的開始,牛頓根據古人的猜測(伽利略除外,因為他亂講),懷疑月球就是始作俑者,是月球對海水的萬有引力,引起了潮汐。

「找到了!果然沒錯!」牛頓心裡有點得意,「月球的萬有引力就是海水漲潮的原因。因為萬有引力與2個天體間的距離平方成反比,距離愈近,引力愈大,所以當晚上月球出現在海水正上空時,是一天中月球距離海水最近的時刻,跟各地漲潮的時間吻合!」Yes!這是第一部曲。

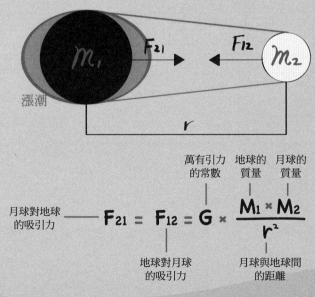

漲潮

$$F_{21} = F_{12} = G \times \frac{M_1 \times M_2}{r^2}$$

月球對地球的吸引力

地球對月球的吸引力

萬有引力的常數

地球的質量

月球的質量

月球與地球間的距離

推理二

　　但是聰明的牛頓，看著歐洲各地的潮汐時間表，很快的就發現了新的問題，隨即進入第二部曲。

　　他注意到除了晚上的漲潮之外（即「汐」），在空中沒有月球的白天，也會漲潮一次（即「潮」）。而這並不符合他在第一部曲的推論。

　　「怪了怪了……」牛頓心裡覺得莫名其妙，「白天月球位在地球的背後，明明是距離海水較遠、水位應該降低的時刻，為什麼也會出現漲潮呢？」

　　「咦？時間好像有點規律，我來計算一下……」牛頓拿起筆在潮汐時間表上簡單的計算了一下。他發現這些「月球沒有高掛在天空」時發生的漲潮，與「月球高掛在天空」的漲潮，大致都間隔12個小時又25分鐘。

　　「12小時又25分……這個數字好熟悉……」牛頓快速的在腦海中搜尋，「啊！想到了！月球每24小時又50分鐘會再次出現在同一個地點的高空上！12小時又25分恰好是這個時間的一半，代表這個漲潮的時間，剛好是月球在地球的正背後，也就是最遠離海水的時候！」

　　「快想快想……月球離海水最遠的時候，要如何使海水上漲呢？」牛頓平日令人討厭的牛脾氣，用在研究難纏的問題上，反而成了一種不怕困難、不肯放棄的優點，甚至進入茶不思、飯不想、蓬頭垢面、一臉恍神的境界，就是堅持要想出問題的答案。

　　後來，他突然聯想到有一次在觀察轉動中的水桶時，裝水的桶子如果和其他容器一起做圓周運動時，容器內的水最外側水位會最高，看

在旋轉裝置上，水桶中的水總是呈現靠裝置外側高、靠內側低的斜面。

起來就像「被往外甩」的感覺。

　　「那麼，我們可不可以把地球上的海水看做『在圓周運動的容器中的水』？這樣當地球做圓周運動的時候，另一邊的液體——也就是地球背後的海水『被往外甩』，就是沒有月球高掛海面，也會漲潮的原因囉？」

　　可是現在明明只有月球繞著地球做圓周運動，地球有做什麼圓周運動能使得月球在地球的背後時，海水會被往外甩嗎？思考中的牛頓，胡亂翻起舊約聖經，突然得到一個靈感！

你再高大
我也不怕！

哎喲，不能用
「高科技」作弊啦！

在基督教聖經中，牧童大衛用「流星索」以小博大打敗了巨人歌利亞。

　　「看！大衛王用什麼打敗歌利亞巨人？」牛頓突然眼睛一亮，「流星索！」

　　「流星索被拋出去的樣子，不就像地球和月球之間的圓周運動？」原來，流星索是由一條繩子兩端綁著2顆石頭。當流星索被拋出去的時候，2顆石頭會繞著繩子中間的某一點，邊飛邊做圓周運動。

這讓牛頓聯想到，月球和地球就像那兩顆石頭，被像繩子一樣的萬有引力綁著，所以不是只有月亮繞著地球做圓周運動，應該是月球和地球會繞著兩者之間的某一個點共同做圓周運動才對！到此，第二部曲已經解謎！

經過計算，牛頓知道月球和地球的確是繞著一個中心共同旋轉，只是因為地球的質量比月球大上許多，所以旋轉中心的位置位在地球的內部，地球的圓周運動不容易被察覺，才會有只有月球繞著地球旋轉的錯覺。

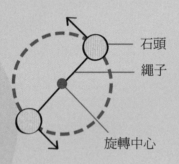

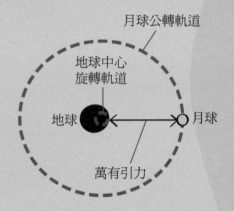

流星索是由一條繩索連接2顆石頭構成的。飛行時，繩索兩端的石頭，會共同繞著繩索上的一個點做圓周運動，而這個點的位置通常比較靠近質量大的石頭。

地球的質量約是月球的81倍，因此旋轉的共同中心非常靠近地球的中心，位在地球的內部，所以地球本身的圓周運動不容易被察覺。

推理三

　　不過，正當牛頓成功以月球的萬有引力、地球做圓周運動將海水往外甩的力（這兩種方向相反的力，被稱為「引潮力」），解釋了一天2次漲潮的原因時，另一個棘手的問題又浮現在他的眼前

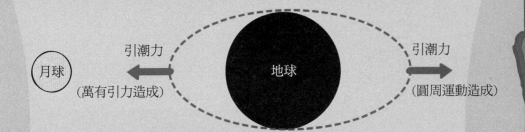

　　原來牛頓又發現，在他蒐集來的每日潮汐高度數字當中，「滿月」和「新月」的時候，潮水會漲到最高（也就是所謂的「大潮」），但是這個現象卻沒有辦法單純用先前找到的兩種引潮力來解釋。因為如果只是考量月球造成的萬有引力和圓周運動，那麼新月和滿月這兩天，甚至每一天的漲潮幅度都應該不會有什麼差異才對。

　　「奇怪，應該還有些什麼別的因素，影響了潮水的高低。難道還有東西我沒有考慮到？」牛頓皺起了眉頭，陷入深沉的思考。

「難道是太陽！？」他突然靈光一亮，張大眼叫了出來。

在牛頓先前的計算中，雖然算出太陽對海水的引力，只有月球的一半。但是這一半可能會影響海水上漲的高度，牛頓覺得自己太不小心，先前竟然把太陽的吸引力給忽略掉。

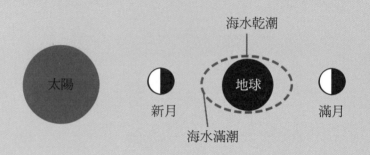

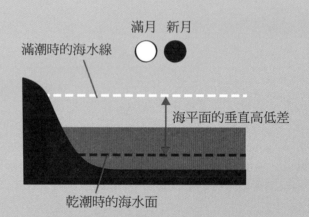

牛頓順手拿出紙筆，畫出太陽、月球和地球的位置。在新月這天，日、地、月，剛好位在同一直線上，太陽和月球對地球的引潮力，方向剛好一樣！力量相加的結果，就會使新月這天地球海水受到最大的引力；另外一邊，滿月時，除了圓周運動造成的引潮力外，還要加上月球的引力，所以滿月這天地球海水也會受到最大的引力。

終於，第三道謎題也解開了。牛頓歸納出造成潮汐以及影響每天漲潮幅度的因素，有以下三者：

①月球高掛在天空時，月球對地球的萬有引力會造成漲潮。

②月球沒有高掛天空時，會因為月球和地球做圓周運動，使得離月球最遠的海水被「向外甩」，也造成漲潮。

③在滿月和新月這兩天，太陽、月球和地球排成一直線，所以月球的引力會再加上太陽的引力，所以漲潮的幅度最高。

1687年，牛頓將他的潮汐理論，寫在他的曠世巨作《自然哲學的數學原理》中公諸於世。書中還介紹了萬有引力、牛頓運動定律等重量級的力學理論，撼動了整個世界對宇宙秩序、自然現象的整個思維方式。

而牛頓給出的潮汐理論，解決了長久以來人們對於潮汐成因的爭論，也讓當時日益繁忙的航海業，能夠更準確的預測潮水的漲退或乾潮、滿潮的時間，航程順利與安全了不少。

雖然，我們現在知道，牛頓的潮汐理論並非完美；除了月球和太陽的引力之外，潮水漲退也會受到海岸地形、地球自轉和其它因素影響。不過，牛頓的潮汐理論確實為了海洋物理的研究打下穩固的基礎，現代的我們甚至能用滿潮、乾潮間的潮差發電，都要感謝這位不擅與人相處，卻能用知識的力量造福人群的大師啊！

謝謝你，哞～～

沒禮貌。

 **快問快答** ||||||||||||||||||||||||||||||||||||||||||||||||||||||||||||||||||||||||||

1 第三課的快問快答提到，月球對地球的引力引起了潮汐，使得地球自轉減慢。反過來說，地球對月球的引力有什麼效果呢？

由於地球對月球引起的潮汐力更大，因此早在月球年輕的時候，就讓月球自轉慢慢停下來了，所以現在我們看到的月球，只能用同一面面對地球。

有趣的是，地球自轉速度變慢，反而移轉了一部分的轉動能量到月球身上，加速了月球的公轉速度，讓月球以每年3.8公分的速度慢慢遠離地球。

可以想像在遙遠的未來，地球自轉終有一天停止下來，永遠只用同一面面對月球。那個時候地球將只有一半的地區可以看到月球；而月球將遠在天邊，看起來只是顆不起眼的小亮點。

不過這也不一定會成真，因為在那之前地球可能被宇宙中的小行星撞擊，改變了自轉模式也說不定，就像科學家推測金星與眾不同的「逆自轉」、天王星的「躺著自轉」，都可能是被小行星撞擊的結果。

你們兩位的舞步怎麼跟大家不一樣！

地球

金星

天王星

2 人體內也有大量的水分，那人會像潮汐一樣受到月球引力影響嗎？

人體的成分的確有70%是水分。少數科學家曾經針對「月球引力會不會影響人體體液，造成行為或情緒的變化」做過研究，但到目前為止，還沒有大規模的臨床試驗證據可以支持這種說法，所以月球能不能影響人類情緒目前還沒有定論。

發現季風的成因

哈雷

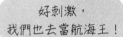

「**風**從哪裡來」、「要往哪裡去」，自從十五世紀，歐洲進入大航海時代開始，這些關於「風」的問題就變得非常重要。因為當時的船隻，還是以風力為主要的動力，如果能掌握變化莫測的風要吹往哪個方向，航行的船隻就會更加安全，船長及水手們也能載著貨物順利抵達目的地。

當時，歐洲濱海的幾個國家，像是葡萄牙、西班牙，紛紛派出航海家到海外冒險。他們去到歐洲人從未聽聞的國度，見到歐洲人從未發現的景象；他們占領新的土地、與異族交易新奇貨物，或把令人驚奇的寶物帶回母國，這一切的一切都為國家及投資者帶來響亮的名聲與巨額的財富。

為了趕上這股發財的風潮，英國、法國、荷蘭也紛紛急起直追。英國在1600年成立了「不列顛東印度公司」（British East India Company），經營印度到東南亞地區的商業貿易，而且從1607年開始也穩定的向北美洲殖民並且進行貿易。

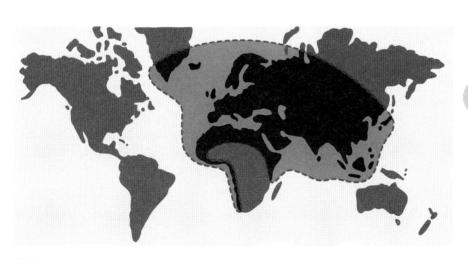

| ■ 1492 年的「全世界」 | ■ 現代的「全世界」 |

在1492年哥倫布發現新大陸之前，歐洲人們以為的全世界比現代的全世界小很多。進入大航海時代後，各國冒險家就是駕著帆船到處探索「新世界」。

通往新世界的科技

就這樣，歐洲國家一窩蜂的探險使得海上活動變得空前頻繁，還經常必須穿越無人知曉的陌生海域。為了確保出海航行安全，歐洲人開始重視「星象」與「氣象」，前者是為了替船指引正確方向，後者則關係到船隻的動力與人身安全。否則本來滿懷希望的出海賺錢，一不小心卻變成血本無歸，甚至葬身海底。

因此，參與這場海上冒險的國家，很願意花大錢支持學者研究氣象與天文現象；新的航海工具與研究成果，也不斷被人發現、提出。

其中，有人發現了「季風」的成因，畫出正確的世界風向圖，大大提高了跨海航行的安全性，並縮短海上航行的時間。這位仁兄就是從星象玩到氣象，再從氣象玩到物理、數學，甚至到保險業等等各種不同領域的愛德蒙‧哈雷（Edmond Halley）先生。哈雷先生讓世人知曉的事蹟，大多是他準確的預測了哈雷彗星出現在地球夜空的時間，而知道他對風向研究也有貢獻的人卻少得多。以下就讓我們聽聽這位掌握風向的男人，在發現季風成因時，腦袋裡是怎麼想的吧。

哈雷曾經成功算出1456、1531、1607和1682年出現的彗星其實是同一顆彗星，並預言它將於1758年回歸地球。不過當這顆彗星果然於1758年回歸，並被命名為「哈雷彗星」時，離哈雷去世已經17年了。

我是哈雷彗星的哈雷，不是哈雷機車的哈雷喔。

大風往哪兒吹？

愛德蒙・哈雷

1656～1742

英國天文學家、氣象學家、
物理學家

西元1656年，哈雷出生在倫敦的一個富有家庭。他的父親是一個肥皂製造商，但是哈雷對肥皂興趣不高，卻對科學領域的數學、物理、天文等等展露出極高的興趣。

十七歲時，他進入牛津大學的皇后學院就讀，爸爸買了一套天文觀測器材給他。或許由此得到啟發，2年後，第一任英國皇家天文學家約翰・弗蘭斯蒂德（John Flamsteed，1646～1719）到牛津大學來獵人頭時，哈雷就雀屏中選成為弗蘭斯蒂德的年輕助手。

當時，弗蘭斯蒂德忙著編纂一份新的星表，哈雷知道以後，心裡就萌生到南半球去觀測星空的念頭，因為當時北半球的北天星表已經非常完整，但是偏遠的南半球南天星表卻幾乎掛零。

　　於是，哈雷在1676年加入了英國官方的天文團隊，搭船到「聖赫勒拿島」研究南半球的星空。

收到！
保證使命必達！

哈雷

赤道

聖赫勒拿島

去吧，年輕人。
記得幫老師帶點
名產回來！

弗蘭斯蒂德

　　聖赫勒拿島（Saint Helena）是大西洋南方的一個島嶼，往東約1900公里可到非洲、往西約3400公里到南美洲，是當時大西洋上一個非常重要的船泊基地。

　　哈雷在當地待了18個月，畫出史上第一張描繪南半球星象的觀測圖，並寫了一篇說明該圖的論文。2年後，哈雷就以這篇劃時代的星圖與文章，當選了英國皇家學會的院士，而當時他年紀輕輕，只有二十二歲。

不過，哈雷在聖赫勒拿島蒐集的不只有天文資料，還包括當地可以收集到的世界各地風向資料。回到英國以後，哈雷雖然因為南天星表的發表而意氣風發，但是在島上蒐集來的資料當中，卻藏著一份未解之謎，一直懸在哈雷的心頭。

「怪了，北半球低緯度區吹的是東北風，而不是東風，怎麼跟大科學家伽利略說的都不一樣呢？」哈雷時時在心裡這麼納悶著。

原來，從十六世紀末開始，歐洲的科學家開始用「粒子」的角度，來解析各種自然界的現象。他們認為物質是由粒子形成，包括空氣也不例外。義大利的大科學家伽利略（Galileo Galilei，1564～1642）就認為，由於地球由西向東自轉的緣故，懸浮在地球表面的空氣粒子，因為沒有辦法跟上地球，所以產生了由東向西的流動，所以地表上吹的都是「東風」。

但是，伽利略為什麼敢這樣確定呢？那是因為在伽利略身旁所能接觸到的都是居住在西歐或是南歐的人，他們普遍是靠著穩定的「東風」航行到北美和南美洲的低緯度地區。所以伽利略以為全世界都吹東風，與地球由西向東的自轉有關，似乎也是非常符合邏輯。

不過，哈雷在聖赫勒拿島收集到的，的的確確是「東北風」。假設決定全球風向的成因，真的像伽利略所說的，完全是由地球自轉決定，那麼全世界的風向應該都一樣，一致都是從東往西吹的東風，而不應該是東北風。

「難道是我們天文臺的資料有誤？不可能吧！這其中一定還有其他原因，影響著北半球低緯度區的風向，我一定要把它給找出來！」哈雷心裡暗暗下了決定。

1682年，哈雷交了一個新朋友，那就是我們前一課提到的，赫赫有名、大名鼎鼎的牛頓。

好脾氣的哈雷與個性刁鑽的牛頓很合得來，哈雷不時去找牛頓討論各種問題。其中，當他們交流到空氣粒子跟水粒子的運動狀態時，哈雷得到了靈感，他想：

「既然空氣粒子跟水粒子一樣會流動。那麼，流動方式應該也相去不遠——被加熱的空氣粒子會變得疏鬆，往上浮升，導致冷空氣的粒子會流動過來，填補熱空氣的空位，產生對流現象！」

空氣粒子也有對流現象，就和燒開水的對流現象一樣。

冷水粒子之間的距離比較緊密，所以往下沉降。

熱水粒子之間的距離比較鬆散，所以往上飄升。

「沒錯！應該就是這樣！」哈雷越想越興奮，「地球赤道附近是被陽光加熱最多的地方，所以**赤道的空氣受熱上升**，赤道北方低緯度地區的空氣就會由北往南遞補；再加上先前已經知道的，地球自轉引起的東風效應，難怪北半球的低緯度區會吹東北風！」

換句話說，哈雷認為除了地球自轉以外，「吸收陽光照射多寡」的緯度因素，也是影響風向的因子。那麼南半球呢？如果這樣的推論是正確的，南半球的低緯度區應該是吹「東南風」。

　　哈雷為了證明自己的論述，馬上整理了天文臺團隊們，所收集到的資料，看看各個船隊船長提供的全球各區盛行風向。

1 地球自轉引起的風力
（由東向西）

北半球低緯度區的風

2 赤道空氣受熱上升，
北方空氣往南遞補

由**1**、**2**組合成的東北風

赤道

由**1**、**2**組合成的東南風

南半球低緯度區的風

2 赤道空氣受熱上升，
南方空氣往北遞補

1 地球自轉引起的風力
（由東向西）

「賓果！答對了～除了『少數的海陸交界地區』之外，南半球大部分的盛行方向，果然是我預期的東南風！」哈雷感到非常的興奮。換句話說，他掌握了風向的成因，除了地球自轉之外，還有吸收太陽熱能的多寡，因此，北半球的低緯度地區多盛行東北風，南半球的低緯度地區則盛行東南風。

　　但是，就在哈雷已經能解釋大部分低緯度地區風向的同時，這些「少數的海陸交界地區」卻在他心中形成一個疙瘩。為什麼海陸交界地區夏天的風向這麼怪異，偏偏跟其他低緯度區不一樣呢？例如像是印度洋的北部地區，夏天竟然吹著由南向北流動的風，而不是他用前兩個因素所推論的東北風？這又是什麼因素造成的呢？

　　「奇怪，如果決定地球風向南北流動的因素，只有不同緯度日照熱量的多寡；那麼北半球低緯度地區的風向，必定都是由北向南流動的，應該不會有任何地方的風向，會隨著季節改變啊？」他接下來思考這個問題的時候，赫然發現了一個重要線索。

　　哈雷突然留意到，這些地方的地理位置都有著共同特性，那就是海洋與陸地交錯，而且陸地在北方、南方是海洋。

　　「嗯，這讓我想起以前看過的一個現象…」哈雷皺著眉頭，一邊思考，一邊回想那件令他印象深刻的事情。

　　他記得在天文臺團隊中，曾經看過利比亞沙漠的氣候資料。其中，沙漠的早晚溫差之巨大，讓他覺得非常驚訝。哈雷清楚記得，在他讀到那份資料的時候，心理還特別領悟到：**「沙石不管升溫或降溫都非常迅速**！尤其是受到太陽直接照射時，沙土升溫的速度海水根本比不上！」

「這麼來説……假設夏天的時候，這塊海陸交界的地區同時被太陽加熱，北方的陸地會因為容易升溫而比南方的海水高溫，空氣就會因此由南方的海洋往北方的陸地遞補，形成由南向北的風！」

那麼北半球的冬天呢？哈雷認為，冬季時陽光沒有直接照射北半球，這個地區只會受到地球自轉及緯度的影響，所以風向就會恢復和其他地區一樣，吹著東北風。

不只如此，哈雷還認為在海邊，因為早上的陸地升溫比海水快，風向應該由海洋吹向陸地；到了夜晚，陸地降溫也比海水快，風向就改由陸地吹向海洋。

「我需要趕快重新比對，並且到海邊觀察才行。」哈雷説了馬上行動。果然，冬天風向圖上的箭頭就像哈雷所想的那樣，是由陸地吹向海洋；海邊早晚的風向也不出哈雷所預料。

哈雷在這裡說錯了！現在我們知道，即使在冬天，北半球的季風帶還是受到海陸溫差的影響，不只有地球自轉及緯度的因素喔！

1686年，哈雷把結果寫在論文《論在熱帶地區歷史上觀測到的信風與季風之成因》（An historical account of the trade winds, and monsoons, observable in the seas between and near the Tropicks, with an attempt to assign the physical cause of the said winds）上公開發表，並在文末繪製了史上第一張準確描述全球各地盛行風向的世界地圖，大大縮短了人們從歐洲航行到世界各地的時間。

哈雷成了史上第一位使用「太陽照射熱量」來解釋全球盛行風向的科學家。不過，如果要評論哈雷對世界的貢獻，或許有一件事情比這些發現都來的巨大——推動牛頓《自然哲學的數學原理》的順利出版。

牛頓這本書對後世科學發展影響之巨大實在難以言喻，但是你相信嗎？如果不是哈雷熱情的鼓勵與真誠的支持，牛頓本來壓根兒沒打算寫下並出版這部書。

　　尤其，當牛頓寫完第二卷時，他的死對頭虎克（Robert Hooke，1635～1703）跳出來指責牛頓偷走他的研究成果，堅稱最早發現萬有引力的人是他，不是牛頓！牛頓知道後大為光火，連計劃中的第三卷也賭氣不寫了！最後還是哈雷出面打圓場，安撫了牛頓好好把書繼續寫完。

牛頓大人，
息怒、息怒。
寫書要緊。

牛頓

虎克

　　有趣的是，書在1698年準備出版時，最初答應會付出版費用的皇家學會卻臨時反悔，認為這本冷門的書一定會讓學會大大的賠錢；學會還決定另行壓寶，把錢都拿去印另一本書《魚類的歷史》（De Historia piscium）。

　　結果，哈雷只好自掏腰包出版這本書，但其實哈雷在父親過世後手頭很緊，是基於義氣才硬著頭皮把這件事情扛下來的！更好笑的是，過沒多久，皇家學會竟然連要付給他的薪水也付不出來，還拿賣不出去的《魚類的歷史》來抵他的薪水，這不是讓荷包縮水的哈雷又好氣又好笑嗎？

　　總之，《自然哲學的數學原理》還是在哈雷的支持下順利問世，改變了世界的命運。這個世界如果沒有《自然哲學的數學原理》，呃……或者說沒有哈雷的話，不知道會比現在的進展落後幾十年？甚至幾百年呀！

快問快答

1 課本曾經介紹過「信風」和「貿易風」，它們之間有什麼差別？

「信風」就是「貿易風」。古代西方商人常乘著這種穩定風出海做生意，所以叫它「trade wind」，雖然trade在古英語是「固定路徑」的意思，但被人翻譯成「貿易風」也別具巧思；古代中國人覺得它穩定吹拂，很有「信用」，所以稱它為「信風」。

信風從南、北半球的副熱帶吹向赤道，原因是赤道的空氣非常炎熱、容易上升，使得副熱帶的空氣往赤道方向遞補進來；再加上地球自轉會使這氣流略為轉向，所以在北半球變成東北風、在南半球變成東南風。哈雷在前文中發現的風（北半球低緯度區盛行東北風、南半球低緯度區盛行東南風），其實就是信風。

2 為什麼在氣象預報中經常聽到「東北季風」和「西南氣流」，但比較少聽到西北或東南季風呢？

臺灣位於季風交界區，冬天時吹東北季風和東北風，比較弱時氣象報告僅會稱「東北風」，比較強則會播報天氣受到「東北季風或是東北季風增強」影響；對應到夏天就是西南季風或西南風。另外在颱風期間常聽到的「西南氣流」，則是因為颱風從熱帶海洋引發了很長，且風向呈西南的雨帶對衝著臺灣，經常造成很強的降雨，稱之為西南氣流。

至於西北季風和東南季風本來就不是臺灣會吹拂的季風，當然就不會出現在臺灣的氣象報告了。

3 哈雷發現「早上陸地升溫比海水快，風向由海洋吹向陸地；夜晚陸地降溫比海水快，風向改由陸地吹向海洋。」這又是什麼風？

白天從海洋吹向陸地的風，稱為「海風」；晚上從陸地吹向海洋的風，叫做「陸風」，兩者合稱為「海陸風」。這種風因為是海陸間在「一天」中的熱力變化所導致的，不像季風是「整季」，信風是「整年」。

海陸風的強度較弱、影響範圍小，一般只在海陸交界的20到50公里內吹拂。只要有更強的天氣氣流出現，就有可能被改變。

白天由海吹向陸地的「海風」

晚上由陸地吹向海的「陸風」

LIS影音頻道 ▶

【自然系列─地科｜信風成因】大風吹吹什麼？

「風」向來是無拘無束的象徵，它的來去竟然也有跡可循嗎？那個曾成功預言彗星的男人──愛德蒙‧哈雷即將揭開信風的背後的真相！

第7課

尋找真正的宇宙中心

赫歇爾

宇宙，上下四方曰「宇」，古往今來曰「宙」。換句話說，宇是「空間」，宙是「時間」，所以宇宙一詞的定義，恰是「所有時間與空間的總合」。不過誰知道「所有的」空間究竟多大？如果我們認知的空間狹小，我們定義的宇宙就會跟著狹小，反之亦然。所以，如果不能明白這世上空間的真實大小，又如何確定真正的宇宙到底有多大呢？

在古希臘，宇宙的意思是指「一切」，也就是所有的物質與空間統稱為「宇宙」。但是當時認知的地上空間，只有歐、亞、非的部分地區；天上的空間也只包含太陽、月球和少數肉眼可見的星星而已。所以宇宙的「一切」聽起來豪氣，但事實上人們心中所認知的宇宙非常狹小。

不只如此，最早的地心說還以「地球」做為宇宙的中心，一切天體包括太陽在內，都繞著地球和地球上的人們旋轉。即使到了哥白尼提出日心說，把宇宙中心的位子拱手讓給太陽，但是宇宙的大小仍然不大，因為哥白尼說：「宇宙的一切天體繞著太陽旋轉，而恆星在天球上保持不動。」可見此時人們認為宇宙的主體依然侷限在太陽系內，但是太陽系外有什麼呢？沒有人知道，恐怕也很少人想過，因為當時的觀測技術有限、望遠鏡看得不遠，人們看到的宇宙的的確確就只有太陽系這麼大。

　　不過隨著時代進步，天文望遠鏡愈做愈大，人們能看到的星星也越來越多、越來越遠，很多人開始思考，這麼多、這麼遠的星星們真的都擠在太陽系以內嗎？這個世界會不會有其他的星系，類似我們所居住的太陽系呢？

技術發展帶著人們突破思考框架

　　現代的我們已經知道，太陽系外有銀河系，銀河系外還有其他大大小小、幾兆個星系。但是這一切知識並非一蹴可幾，而是無數個前人歷經數百年，慢慢研究累積的結果。

　　以下我們就來說說，在哥白尼的日心說之後，帶領人類突破宇宙空間的天文豪傑——來自漢諾威王國的赫歇爾（Frederick William Hersche）。現在就請各位緊緊抓好安全帶，準備跟著衝一波，先突破太陽系，再衝出銀河系吧！

發現恆星也會動

弗里德里希・威廉・赫歇爾
1738～1822
英國天文學家及音樂家

1738年，赫歇爾出生在位於現今德國北部的漢諾威王國。他的家族是當地相當有名的音樂世家，所以赫歇爾從小耳濡目染，不但會指揮樂團表演，也是多種樂器的演奏高手。當他十六歲時，歐洲爆發「七年戰爭」，由於漢諾威王國當時與英國是「共主邦聯」，赫歇爾隨即加入軍樂隊，並且跟著軍樂隊前往英國參戰。

但是後來，漢諾威王國戰敗，一時無鄉可歸的赫歇爾便成為逃兵流落異鄉，在英國巴斯地區（Bath）的八角禮拜堂（Octagon Chapel），默默的當起樂團指揮和管風琴手，以在地音樂家的身分賺錢過活。

赫歇爾所製作的天文望遠鏡的復原圖。

這樣的簡單日子倒也十分安逸，時時帶著好奇心的赫歇爾在這段業餘時間，對八竿子打不著的天文學，莫名產生了濃厚的興趣。

三十三歲以後，赫歇爾甚至開始製作望遠鏡。他的妹妹卡洛琳（Caroline Herschel，1750～1848）搬來與他同住，也受到哥哥的影響，加入了天文學的研究行列。

赫歇爾這不玩則已，一玩驚人。或許是因為有妹妹互相作伴，他在短短幾年間，就從玩票性質的業餘天文愛好者，一路進步到專業的天文學家。

1782年，他甚至在偶然間發現了天王星（Uranus）！這在當時可是不得了的成就！這個大發現整個翻轉他的命運，不但讓當時的國王喬治三世（King George III）赦免他的逃兵之罪，甚至還將他任命為皇家天文官，每年給予豐厚的報酬，讓他能盡情研究天文現象，製作先進的望遠鏡，甚至外銷他地，遠至中國。

這下子有了皇家天文官這個職位，更讓赫歇爾有機會調閱歷任天文官的觀測資料。同樣的，有了「新玩具」的赫歇爾，在研究了過去100年來的觀測資料以後，竟然發現了一個天大的祕密，那就是在這100年中，如果以每一年的同一天做為標準，有幾顆恆星竟然默默的改變了位置，而且居然沒有任何人發現？

「天啊！哥哥，這真是不得了的大事！哥白尼的日心說不是告訴我們，宇宙的天體以太陽為中心，而太陽和其他恆星一樣，都是不會動的嗎？」在哥哥的訓練下，已經成為半個天文學家的卡洛琳吃驚的叫道。

「對呀，這個發現如果正確，將會是對日心說的莫大挑戰！」赫歇爾也感到不可置信，「因為按照日心說，恆星的位置固定不變，只是因為地球繞著太陽公轉，天上的恆星看起來才會有在移動的感覺的話，那麼在每一年的同一天，地球回到相同的位置時，觀測到的恆星位置應該一樣才對。但是過去這100年來的資料，顯然不是這樣。」

圖中赫歇爾正在和妹妹卡洛琳拋光望遠鏡面。卡洛琳是赫歇爾全職的助手，在後來也成為一位天文學家。

「哥，那你覺得原因究竟是什麼？難道，是恆星真的在動？」

「我還需要時間思考這個問題。卡洛琳，我們先別把這件事情說出去，等我把整個事情想清楚了以後再說。」

「好的，哥哥。我再幫忙多找一些資料過來。」

卡洛琳說完後離開書房，留下赫歇爾在燈下繼續思考這個問題。人類位在太陽系中觀察恆星，卻發現到恆星正在移動，那究竟會是誰在動呢？

赫歇爾想到有兩種可能：要不就是恆星真的在動，不然就是整個太陽系在移動。用現在的生活場景來類比，就好像坐在火車上的人，看到隔壁的火車向後移動時，有可能是因為隔壁的火車正往前開，也有可能是自己乘坐的正在後退。

月臺上並排的兩輛火車

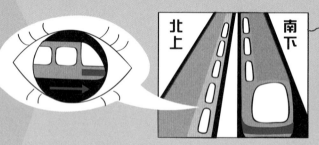

從乘客眼中看去，分不出來是對面火車在動，還是所在的火車在動。

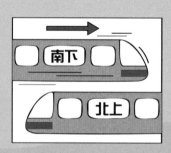

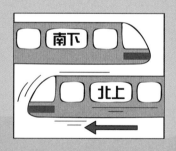

為此，赫歇爾在星空中選定了20幾顆容易觀測的恆星，研究它們每年移動的方向和角度。

　　赫歇爾這麼做的原因是，如果是恆星們是自己亂動的話，那它們每年移動的方向和角度可能都不一樣；相反的，如果是整個太陽系在移動的話，那它們改變的方向和角度，應該會呈現出一個特殊的模式。

　　「嗯……這看起來……好像這些星星都是從一個點放射狀散開耶！」赫歇爾觀察後說道。這就像觀察者在移動時，移動方向中心點以外的東西，會在視覺上呈現放射狀散開的現象。赫歇爾做出了一個大膽的結論，那就是──整個太陽系都在移動！

　　「什麼！你是說，太陽不是宇宙的中心，整個太陽系是繞著另一個更大的宇宙中心旋轉？」卡洛琳聽了，簡直不敢相信自己的耳朵。

　　「沒錯。只是，如果太陽不是宇宙的中心，那麼哪裡才是宇宙的中心呢？」赫歇爾很快就掉入了另外一個問題的旋渦。他知道，只要自己提出這個說法，別人一定會用這個問題來質疑。

　　在接下來的時間裡，他時不時仰望星空，尋找著得以勝任宇宙中心角色的位置。在赫歇爾的腦海中，按照萬有引力定律的規則，這個宇宙中心一定要具備極大的萬有引力，才能吸住整個太陽系繞著它公轉；在這同時，這股吸引力應該也會強烈的吸引其他天體，所以必定會是一個大量的恆星和天體會聚集的地方。

最後，赫歇爾在浩瀚的夜空中，想到了一個似乎能滿足以上條件的區域，那就是銀河系的最中央，那個有著密集分佈的恆星、耀眼而閃爍的位置！

「找到了！卡洛琳！我想，宇宙的中心就在銀河系的中央！快來幫我，我要畫出整個銀河系的測繪圖！」赫歇爾興奮的捲起袖子，準備大顯身手。

「好的，哥哥，我馬上就來！」卡洛琳對於這個突破也非常高興。

最終，為了增加銀河中央是宇宙中

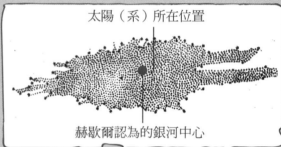

太陽（系）所在位置

赫歇爾認為的銀河中心

赫歇爾繪製的史上第一張銀河系結構圖。

心想法的可信度，赫歇爾畫出了史上第一張銀河系的形狀圖。他認為，宇宙和太陽系都是繞著銀河系的中心旋轉，並且在銀河系的星系之中，還有無數個像太陽系這樣的行星系存在。換句話說，赫歇爾的理論首度將人類的宇宙觀從侷限在太陽系中，擴大到了整個銀河系。

可是人類的宇宙觀到了銀河系，就算走到了盡頭嗎？在銀河之外，還有沒有更大的世界在等待人類的發掘呢？

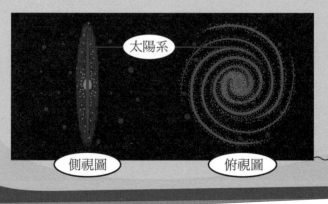

太陽系

側視圖

俯視圖

現今天文學家畫出的銀河系結構圖。

的確，從赫歇爾畫出銀河系的結構圖後，有一個半世紀的時間裡，人類以為銀河系就是整個宇宙，在銀河系外什麼都沒有。一直到1920年代，才由同樣是業餘天文愛好者出身的柯蒂斯（Heber Doust Curtis），打破了這樣的誤解。

柯蒂斯的研究對象，原本是被誤以為宇宙灰塵的「星雲」。但是，他發現位在銀河系邊陲地帶的「仙女座星雲」，不但形狀跟銀河系很像，並且也跟銀河系的中心一樣具有大量的「新星」存在。

希伯・道斯特・柯蒂斯
1872～1942
美國天文學家

這種新星通常是位於恆星又老、又多的星系中央。這使得柯蒂斯提出一個全新的觀點——仙女座星雲其實不是宇宙灰塵，而是位在銀河系外的另一個星系！而且星系只是構成宇宙的基本單位，在宇宙間更遙遠的地方，應該散布無數個像銀河系或仙女座星系這般，大大小小不同的星系。

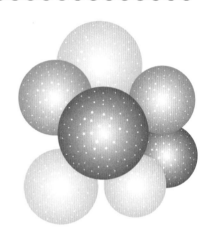

圖中是十八世紀英國的天文學家萊特（Thomas Wright，1711～1786）和德國哲學家康德（Immanuel Kant，1724～1804），提出的「**島宇宙**」想像圖。這個假說認為，銀河系不是宇宙唯一的星系，在銀河之外還存在著一個個、散布在宇宙中的星系，就像分佈在無垠大海上的島嶼一樣。柯蒂斯就是受到島宇宙模型所啟發。

愛德溫・鮑威爾・哈伯
1889～1953
美國天文學家

接下來，長年與柯蒂斯合作，並且支持柯蒂斯想法的美國天文學家哈伯（Edwin Powell Hubble），幫忙證實了仙女座星雲的中心與銀河系的中心連單位體積的亮度都差不多；還陸陸續續找到了41個遙遠的星系，證明了在人類所處的銀河系之外，還有大量的星系存在！

哈伯這震驚大江南北的成就，讓現今的人類們了解到，我們、甚至我們所在的銀河系，在宇宙中實在是驚人的渺小！

16到18世紀末　　　　　18世紀末到20世紀初　　　　　現代人

不只這樣，現在我們已經知道，這個宇宙很可能擁有2億到2兆個星系；而在這個宇宙的盡頭之外，可能又有其他宇宙的存在！人類可不可能找到宇宙的盡頭？在我們的有生之年，能不能發現其他平行宇宙的存在？誰知道呢，天文學的領域總是帶來巨大的驚奇，且讓我們拭目以待！

快問快答 |||||||||||||||||||||||||||||||||||||||||||||||||||||||||||||||||||||||||||||||||||

 為什麼「仙女座星系」本來被誤認為「仙女座星雲」呢？

在過去觀測技術有限的情況下，人們從望遠鏡看到一些不太像是恆星或是彗星，結構有些發散、模糊、鬆散，彷彿天空中雲朵般的天體，因而把這些東西稱之為「星雲」。隨著觀測技術不斷進步，這才弄清楚了原來過去被稱為星雲的天體，其實包含了星系、星團，以及真正的星雲。

在今天，真正的「星雲」指的是在宇宙中的塵埃與氣體，主要成分是氫、氦等元素；而「星團」則是用來描述數顆到數百萬顆群聚在一起的恆星；至於「星系」則是由許多星團加上星雲所組成的大集合結構。天文學早期礙於望遠鏡解析能力有限，因此不時會有誤把星系當星雲的情況，例如仙女座星雲、漩渦星雲等天體，都在觀測技術進步之後正名為仙女座星系、螺旋星系。

艾薩克・羅伯斯（Isaac Roberts，1829～1904）在1888年拍攝到的「仙女座星雲」，明顯的螺旋結構促使人們思考星團、星系與星雲的不同。

那有沒有比「星系」更大的天體結構呢？在星系之上，還有由低於50個星系所組成的「星系群」、由星系群組成的「星系團」（可別和「星團」搞混了），繼續往上還有「超星系團」，它們的規模真是大到難以想像啊！

2 我們人類在銀河系內，發射的探測器也還沒飛到銀河系外，那天文學家是怎麼樣畫出整個銀河系的結構呢？

好問題。至今人類飛行到最遠的探測器，是美國太空總署在1977年發射的「航海家一號」目前距離地球約有234億公里。只不過這樣的距離仍遠遠不足以「旁觀」銀河系的全貌，光是太陽引力範圍所及的「歐特雲」半徑就有10萬天文單位這麼大（一個天文單位有1億4959萬7871公里），連飛的最遠的航海家一號都還要花上好幾百年才能「離開太陽系」、看到太陽系的全貌，更不用說銀河系了。

到底有幾位數呀？

唉呦我又數到亂了。

在宇宙的旅途還遠著呢！

目前離太陽最遙遠的人造探測器——航海家一號。

目前人類所描述的銀河系結構，是天文學家透過觀測、計算整理出來的。這件事說難不難，打個比方，雖然在學校從來沒有誰真正站在天花板上往下看，但是隨便請一位同學畫出教室的俯視圖也並不困難。因為只要知道教室裡有哪些東西，這些東西的大小、彼此之間的距離，就可以透過教室內人、物之間的相對位置，描繪出教室的結構。天文學家也是這麼做的，利用各式各樣的望遠鏡觀察星星，一顆顆測量它們的大小並判斷它們與地球之間距離，一步步拼湊起這份立體星空拼圖，最終推測出我們看到的銀河系樣貌。

3 宇宙真的在膨脹嗎？人類又是怎麼知道宇宙在膨脹呢？

宇宙在膨脹這件事一開始是用「數學」推算出來的，這位算出宇宙膨脹的神人就是大名鼎鼎的愛因斯坦。

1915年，愛因斯坦根據廣義相對論推論出的方程式顯示，宇宙是動態的——不是正在收縮，就是正在膨脹、擴張。到了1929年，天文學家哈伯（Edwin Powell Hubble，1889～1953）觀察到大多數星系正朝著各方向遠離地球，證實了宇宙正在膨脹的現象。

後來科學家把宇宙膨脹比擬成是「吹汽球」，汽球表面上的無數個點代表無數個星球。當汽球被越吹越大時，汽球上的每個點會隨著汽球的膨脹而逐漸變遠。

嘻！用奇異筆在氣球上畫星星，吹氣時就能摸擬宇宙膨脹下，星球彼此越離越遠的情況囉！

LIS影音頻道 ▶

【自然系列—地科｜太陽與銀河系】大搜查！尋找真正的宇宙中心！
雖然曾經說過「恆星就是因為恆定不動才會叫恆星啊！」但經過幾次天文觀察，赫歇爾發現這回可能要打自己的臉了！

【自然系列—地科｜外星系】天外有天！宇宙到底有多大？
隨著觀測技術越好，人們越發現自己渺小。遠方的星雲真的只是宇宙塵埃嗎？宇宙真的能裝下這麼多星星？！

岩石形成的水火之爭

赫頓

還 記得我們在第四課提到「水成論」，以及開創地質研究的解剖學家斯蒂諾嗎？先幫大家前情提要一下。簡單的說，十七世紀的斯蒂諾認為，聖經裡提到的大洪水來了又去之後，會在地表沉積成岩石，形成一層一層水平交疊的「沉積岩」。由於他認為岩石的成分原本溶解在水裡，沉積後暴露在空氣中並且乾燥固化之後，才形成岩石，所以，這一派相信「各種岩石都是因水形成」的學說，就稱為「水成論」。

水成論在斯蒂諾的努力、聖經與教會的加持之下，成為當時科學世界的主流想法。換句話說，當時大部分的學者都相信岩石是由「水」所帶來，世界上所有的石頭都是「沉積岩」。尤其，當時擁護水成論的一方出現了一位風雲人物，那就是德國弗萊堡礦業大學（TU Bergakademie Freiberg）的礦物學教授韋爾納（Abraham Gottlob Werner）。聽說他為人風度翩翩，開口講課時魅力十足，又極具說服力；聽過他講水成論的學生，都會成為水成論的忠誠信徒。所以，水成論自然而然的就隨著他的學生散播開來，在歐洲十分風行。

太有魅力了，不好意思～

亞伯拉罕‧戈特洛布‧
韋爾納

1749～1817
德國地質學家

CH
08

不過，有句話說「水火不容」。當時其實另有一個微小的聲音，在少數人之間流傳，那是不相信水成論，反而認為岩石是由「火」山而來的「火成論」者。

現代的我們經常可以從影片中，看到火熱明亮的岩漿從火山口噴流而出的壯觀景象。但是在當時，能看到岩漿的歐洲人很少，或者應該這麼說，當時能遠離家鄉的人本來就不多，大部分人的一生都只是待在一個很小的範圍裡工作、生活；社會上也沒有今天發達的影視媒體。因此除非是維蘇威火山或極少數火山噴發時，住在當地或剛好前往該處的人，否則人們沒有機會看到灼熱的熔岩，也很難憑空想像出來。

位於義大利西西里島的埃特納火山（Etna），是歐洲最高、也最活躍的活火山，至今仍不時噴發，受到各國密切監測。

所以在水成論大聲喧嘩的同時，火成論的聲音一直非常微弱。直到十八世紀後期，一位來自英國的地質學家赫頓（James Hutton），才終於找到火成岩的證據，證明部分的岩石的確來自火山，而不一定由水帶來。

不過，聲音大就一定贏嗎？大部分人認可的就一定對嗎？在科學世界裡，答案可說不定。一切都要看最後，事實與證據站在哪一方，那一方代表的才是真理。

一步一腳印的地質考察

詹姆斯・赫頓
1726～1797
蘇格蘭地質學家、化學家、
實驗農場主人

1726年，詹姆斯・赫頓出生於蘇格蘭的首府愛丁堡。當時的愛丁堡雖然位置偏遠，也不是什麼富裕繁華的熱鬧城市，但由於經商致富的蘇格蘭商人捐了很多錢給愛丁堡的大學，加上愛丁堡的宗教氣氛自由，不像歐洲其他地方有嚴重的宗教迫害，因此愛丁堡稱得上是當時世界的知識中心。在十八世紀，蘇格蘭出現了幾位能人，除了發明蒸氣機、帶動工業革命的詹姆斯・瓦特（James Watt，1736～1819），另外一位就被稱為「現代地質學之父」的赫頓。

儘管剛開始上大學的時候，「化學」是赫頓心目中的最愛，但或許是考慮未來前途，年輕的赫頓還是心不甘情不願的走入法律這一行。只是，他在律師事務所實習不到一年，就下定決定跟法律分道揚鑣了。

為了回頭學習心愛的化學，他轉行進修醫學，因為在當時，如果想學化學或其他自然科學，選擇醫學是唯一的道路。在這段時間，他和朋友合作，成功開發出成本低廉的銨砂（氯化銨）製造方法，賺了不少錢，不但讓他無後顧之憂，還有閒餘的時間管理家族經營的農場。

富有實驗精神的赫頓，在農場整地、挖土和修築排水道時，都會仔細觀察每一個地洞、壕溝、河床，慢慢的引發出對於「地球表面」的興趣。後來，因為銨砂生產和農場經營都帶來不錯的收入，赫頓轉而把大部分的時間都投入心愛的科學研究，尤其是閱讀地質學文獻，還有四處考察旅行。

赫頓在旅途中研究岩石、觀察地球表面形成的過程。比方有一次，他造訪蘇格蘭和英格蘭邊界的哈德良長城（Hadrian's Wall），看著這座已經有1600年歷史的遺跡，被風化、分解的程度卻非常輕微，所以他想到，要風化整座山脈的時間一定更久，遠遠超過「6000年」。

為什麼是「6000年」這個數字，而不是3000年、4000年或1萬年呢？因為當時的人受到聖經影響，大多認為地球的歷史只有6000年，而且6000年來，地球保持被神創造出來的樣子，幾乎沒有改變。

噓～你不怕受到教會的打壓嗎？

別擔心，愛丁堡沒有宗教壓迫啦！

赫頓

年輕的赫頓就是這樣，喜歡用自己的雙眼、雙腳，現場考察地形、山脈，再思考地質形成時可能的過程，這個特點讓他和其他地質學者非常不一樣。會這麼說是因為在當時，大多數的地質學家只會思考、空口討論，卻不會特別觀察岩石來驗證自己的想法，包括水成論的大學者韋爾納也不例外。

　　韋爾納認為，地球表面原本是一片原始的海洋，所有的岩層都是從海水經由化學沉澱、結晶、沉積、固化而來。

　　但是赫頓在一步一腳印的地質考察中，發現有些岩石並不像韋爾納大師所講的那樣；尤其是那些結晶型的岩石，像是花岡岩和玄武岩，更不像是在水裡結晶生成，而應該是液態

花岡岩的成分不但不溶於水，更必須要在高溫高壓下才能形成。

的岩漿在緩慢冷卻時結晶的結果。

　　只可惜，當時歐洲的北部並沒有活火山，赫頓雖然讀過描寫火山和溫泉的文獻，但沒有機會親自看過熔岩在地面上流動的樣子。

　　「要怎樣才能找到證據，證明我的想法呢？」赫頓不停的思索替代方案，結果他想到，「對了！找不到正在流動的熔岩，我找花岡岩曾經流動的痕跡總可以吧！」

他心裡想像的畫面是，如果可以找到花岡岩或玄武岩像液態一樣灌入其他岩石的裂縫凝固，並把其他岩石高溫烤焦的樣子，那就可以完美證明火山可以形成岩石的想法了。於是，他到處跋山涉水，終於在愛丁堡北方的蒂爾特河（River Tilt）河谷裡發現線索。

「嗯？這條河邊的沙石裡，有好多被磨圓的花岡岩小石塊和變質岩。我猜，河床的岩層裡一定有我要找的花岡石，和被花岡岩入侵而變質的變質岩吧？」

皇天不負苦心人，1785年，他終於在蒂爾特河的戴爾恩伊斯橋下，找到夢寐以求的東西──一道不規則的磚紅色花岡岩，穿過一片古老的變質岩，而且花岡石所經過的地方，都有被烤焦的痕跡！

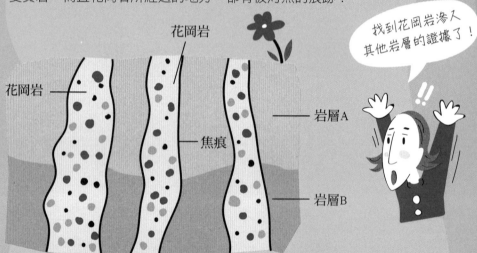

「哈！發現寶啦！這證明花岡岩曾經是熔化的岩漿，而不是在水中形成的！」赫頓開心的說。

更幸運的是，有一次他帶著小狗米西在愛丁堡南部的山丘四處漫步時，竟然在一座峭壁西南方的山坡上，找到另一個想找的東西！那就是

不規則狀的玄武岩侵入層狀的沉積物，還使沉積物變形的痕跡！這個地點被後人稱為「**赫頓剖面**」（Hutton's section），附近學校的地質學課程都會帶學生來這裡參觀。後來的第二年、第三年，赫頓分別又在其他地點找到類似的證明。

　　雖然，赫頓沒有看過真正的岩漿和火山爆發，但是地球內部的景象在他腦海中漸漸成形。他相信地球的中心是灼熱的熔融狀態，能量來源則是他口中的「**地球大熱機**」（Earth's great heat engine）。這座大熱機會推動岩漿，使地表出現高山，高山再被侵蝕、風化變為沉積物，隨著水流沖進海裡，沉積成岩石，然後再被抬升、侵蝕、沉積……如此不斷的循環。而且地球的年齡相當古老，並且不停的變動、改造，這跟當時人們所有的觀念——地球只有6000年，而且幾乎不改變——背道而馳。

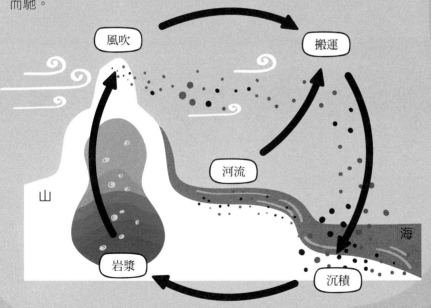

赫頓的地球大熱機理論

因此，當赫頓在1788年公開他的想法，出版《地球論》（Theory of the Earth）一書時，神學家和信教的地質學家紛紛反對，因為他的理論與聖經不符；一時之間，大眾也無法馬上接受，韋爾納那批死忠的水成論學生們更是大聲質疑，認為岩漿並不會固化成晶體。

結果在1792年，這些質疑都被赫頓的化學家朋友霍爾（James Hall，1761～1832）反將了一軍。霍爾把一塊玄武岩加熱到攝氏800～1200度之後，再慢慢冷卻，結果**熔解的岩漿重新結晶成玄武岩**，這證明了赫頓的火成論是對的，而那批成群喧嘩的水成論者呢？他們的聲音在經過一個世代之後，才終於慢慢消退。

水火之爭為什麼在一個世代之後就得以結案了呢？因為在赫頓去世那一年，誕生了另一位傑出的地質學家。他的名字叫做查理斯・萊爾（Charles Lyell，1797～1875），成長經歷跟赫頓一樣，先成為律師，再改行研究地質學問。

萊爾繼承赫頓的觀念，也和赫頓一樣四處旅行，到處觀察地質現象。後來他陸陸續續寫下3冊的《地質學原理》（Principles of Geology），並且提出許多義大利南部的火山噴發和熱泉紀錄，足以證實赫頓的「地球大熱機」理論是對的。在萊爾的努力之下，原本居於主導地位的水成論者紛紛棄械投降，地質學終於慢慢拿掉宗教信仰的成分，真正成為一門現代科學。

快問快答

1 為什麼在大部分人都相信「岩石是因水而生」時，赫頓反而會提出「地球大熱機」這麼與眾不同的理論呢？

俗話說「近朱者赤」，赫頓關於火成論或地球大熱機的想法，一定程度上受到了身旁朋友的啟發。尤其是歷史上赫赫有名的化學家布萊克（Joseph Black，1728～1799）和發明家瓦特（James Watt，1736～1819）。

赫頓曾經跟布萊克一起工作，了解布萊克研究的「比熱」和「潛熱」，明白壓力對受熱物質的影響（請見《科學史上最有梗的20堂物理課》第十三課）；另外，瓦特則將蒸汽機的運作原理介紹給他。赫頓將這些新知融合了在大學學醫時學到的血液循環概念，構建出自己獨樹一幟的理論。

2 赫頓認為地球中心會發熱，究竟這些熱能從哪裡來的？

雖然現代科學證明了地球中心的確是熱的，但是赫頓關於地熱來源的說法並不正確。赫頓的大熱機理論認為，地球內部富含植物吸收陽光後儲存的燃料，是這些燃料加熱了地球內部，使岩石熔解成岩漿。

現在我們知道，46億年前地球剛形成時是一顆炙熱的火球；如今地球內部的熱能有20%來自當時留下的餘熱，另外80%則來自地球內部天然的放射性同位素。這些放射性元素會釋放出高能粒子碰撞岩石中的原子，使得岩石溫度慢慢升高；地心的溫度可以達到攝氏6000～7000度。

3 聽說地球一直在緩慢冷卻，如果地球內部真的變冷了，地球會變成
什麼樣子呢？

科學家預測，再過20億年後，地底下的放射性元素可能消耗殆盡，
使地球內部冷卻下來。原本呈現液狀的外部地核會凝固，不再產生
磁力，使為我們遮擋太陽帶電粒子的地球磁場消失，導致粒子摧毀
地球表面的生物；人類文明也可能就此寫下句點。

同時，太陽風的帶電粒子也會「偷走」地球的大氣層，使大氣層的
氣體分子一點一滴流失到太空之中。久而久之，原本適宜人居的地
球，逐漸變得像火星一樣—沒有大氣、沒有水、沒有生物，成為一
顆荒涼無比的星球。

你以為我一直都這麼荒涼嗎？
我以前曾經像你一樣
有水、有空氣⋯⋯

嗚嗚，我不想要
也變這樣啦！

火星

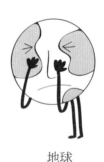

地球

LIS影音頻道 ▶

【自然系列—地科｜火成岩】高山竟然是地底生成的？

岩石會風化、粉碎，但高山怎麼不會夷為平地呢？正當赫登陷入沉
思的時候，想不到竟然是好朋友瓦特發明的蒸汽機給了他靈感？一
個是大自然、一個是人造物，這⋯⋯有什麼關係在啊？

第 9 課

鋒面與鋒面雨

陸米斯

天氣的劇烈變化，不管是乾旱、洪水、暴風、或是強降雪，自古以來就左右著人類的興衰、福祉，甚至影響戰爭的成敗。

1854年，在歐洲克里米亞戰爭期間，突然間的一場暴風雨摧毀了法國國王亨利四世的船艦，並造成400多人死亡。當時的國防部長請天文學家勒維耶（Urbain Jean Joseph Le Verrier，1811～1877）調查原因，結果證明這場風暴早已現身，並在兩天之內襲捲整個歐洲。

人們這才意識到，如果可以事先預知風暴的動態，就能避免嚴重損害的發生。這個事件刺激了氣象學進一步的發展，現代氣象學就此又往前踏出重要的一步。

要是能提早知道風暴來臨，就不會這樣了呀！

但是，為什麼天氣影響人類如此巨大，但是研究氣象的專業機構，卻晚到十九世紀才能建立呢？原因在於，氣象的範圍廣大與捉摸不定，畢竟天氣說變就變，古人在缺乏測量儀器與移動能力的限制下，只能望天興嘆。

基於經驗的天氣預測

西元前四世紀，古希臘哲學家亞里斯多德在他的著作《天象論》（Meteorology）中，提出他對風、雨、雲、雪等天氣現象的粗略觀察。他認為，暖空氣輕、容易上飄，而冷空氣重、容易下沉；如果兩者之間產生交互作用，就可能製造出各種天氣現象，而空氣中夾雜的水粒子，也會造成降雨或降雪等現象。這樣的理論，長久以來一直影響著西方世界。

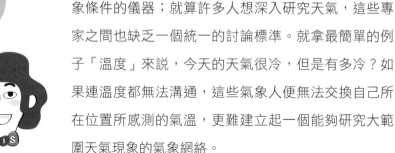

熱空氣

冷空氣

亞里斯多德

當然，許多古代社會對於天氣的徵兆，一直都有細緻的觀察。比如說，西方有「夜有紅天，水手樂；晨有紅天，水手提防」的諺語；中國也流傳著「月暈而風，礎潤而雨」的俗諺。但是這些觀察，都只是來自經驗的簡單預測，究竟為什麼會有這些天氣現象，其中的原理是什麼？人類一直沒有辦法提出說法。

其中最主要的原因，在於缺乏可以精準量測各種氣象條件的儀器；就算許多人想深入研究天氣，這些專家之間也缺乏一個統一的討論標準。就拿最簡單的例子「溫度」來說，今天的天氣很冷，但是有多冷？如果連溫度都無法溝通，這些氣象人便無法交換自己所在位置所感測的氣溫，更難建立起一個能夠研究大範圍天氣現象的氣象網絡。

真厲害，在這麼古代就能得出這種結論。

天氣預測需要精確測量基礎

　　還好，到了十七世紀，科學家們開始開發通用的測量溫度標準，最終成為我們常用的攝氏與華氏溫度。從此以後，研究天氣的人終於有了共通的「溫度」語言。再加上氣壓、溼度、風力等測量儀器陸續出現，漸漸越來越多人投入氣象觀測，因此十八、十九世紀，才成為天氣學終於開花結果的時代，而準確的天氣預報也在十九世紀成為可能。

克里斯蒂安・惠更斯
1629 ～ 1695
荷蘭物理學家

**丹尼爾・加布里爾・
華倫海特**
1686 ～ 1736
德國物理學家

安德斯・攝爾修斯
1701 ～ 1744
瑞典天文學家

1665 年
我建議，用水的冰點和沸點
作標準吧！

1724 年
我提出華氏溫標，
32℉是冰點，
212℉是沸點！

1742 年
我提出攝氏溫標，
0℃是冰點，
100℃是沸點！

　　其中，來自美國的陸米斯（Elias Loomis）發現了鋒面和鋒面為何導致降雨的原因，並繪製了幾乎是最早的氣象圖，對後世發展出天氣預報，有著非常重要的貢獻。

冷熱空氣大對抗

伊萊亞斯・陸米斯
1811～1889
美國天氣學家、數學家

1811年，陸米斯出生於美國康乃狄克州的一個牧師家庭。他的父親相當重視孩子的教育，因此除了學校的課業之外，在家也教導他希臘文與數學，使得陸米斯的學識比起同學博學許多。

1830年，陸米斯從耶魯大學畢業。畢業後的他原本也想進入神學院，像爸爸一樣成為一位牧師，但過不久後便發現，神學並不符合自己的興趣。於是陸米斯離開神學院，並且轉行當上拉丁文、數學與自然哲學的教師，在教課之餘進行他最感興趣的自然科學研究。

幾年後，陸米斯獲得了一個機會，可以前往歐洲與著名的物理、數學家們交流。他從歐洲學成歸國以後，便在俄亥俄州的西櫥學院擔任教授。並在該校校長的協助下，成立了俄亥俄天文臺（Ohio Observer），作為氣象與星象研究之用。

這座天文臺是美國歷史第二悠久的天文臺，陸米斯利用這個天文臺，憑著自己在歐洲學來的研究技術，開始在天文、氣象和物理等領域發揮影響力。

俄亥俄天文臺也叫做「陸米斯天文臺」，美國國會圖書館至今依然保留當初建造的設計圖；當初所使用的望遠鏡，也仍保留在原址。

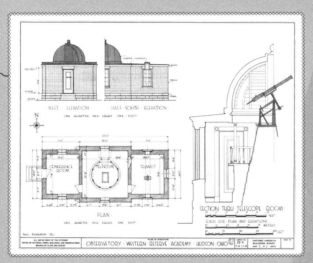

1836年12月21日，北美洲的東岸從西南方的紐約市，到東北方的魁北克，發生了一場可怕的暴風雨，時間長達22個小時，造成非常嚴重的損失。

陸米斯想要知道這場暴雨從何而來，所以他向軍方調閱氣象資料，並且向一份刊物的讀者募集氣象紀錄，結果發現了一個奇怪的現象。

原來，在這場暴雨發生後，這些地方的日均溫居然都下降了大約華氏16度（相當於攝氏8.9度），更令人納悶的是，那裡的風向原本都偏南風，但暴雨過後風向卻變了，從南風轉為北風。

「奇怪，這不合理呀！按照現今的理論，潮溼的空氣若是由南方的海面吹來，後續應該會變溫暖，而且持續吹南風才對。」陸米斯想，「何況，如果氣溫降低的原因，只是因為下雨或冬天的天氣造成的，應該也不至於降溫的這麼劇烈，甚至還下雪呢！這是為什麼呢……」

　　陸米斯認為，這麼大一片區域出現同一種現象，絕對不是巧合。

1836年12月21日暴雨襲擊紐約至魁北克的範圍。

奇怪，下過雨之後不僅溫度驟降，風向還變了？

　　「咦，會不會跟亞里斯多德提到的冷、熱空氣性質有關？」陸米斯想到以前讀過的氣象學理論。亞里斯多德和哈雷都曾提過，冷空氣組成的氣團重、容易下沉，而暖空氣組成的氣團輕、容易上飄。但是，如果兩個冷熱不同的氣團碰在一起會怎樣？較重的冷氣團，很可能會把較輕的暖氣團「擠」到高空中吧！

　　「越想越有道理。一般來說，北方吹來的氣流比較冷，南方吹來的氣流比較暖，如果地表上原本吹南風，卻被北方來的冷空氣擠到上空，那麼地表就會被北方的冷空氣佔據，南風變成北風，而且氣溫驟降！這不就和紐約到魁北克這次的異常現象非常符合嗎？」陸米斯想通了其中的道理，心裡非常高興。

但是，降雨的狀況又要怎麼解釋呢？

　　陸米斯花了一些時間思考，又想到，海拔越高的山上溫度會越低，因此，高空的環境應該比山上更冷吧！那麼，那些被冷空氣擠到高空的暖空氣中原先夾帶的水氣，會不會冷凝成液態的雨滴，落到地面變成降雨呢？

冷暖空氣碰出「水」花

　　「應該沒錯！我想通了！這麼說來，不管是暴雨、風向改變或雨後變冷，可能都是來自北方的冷氣團和來自南方的暖氣團，大規模互相碰撞的結果！我一定要找到更多證據，證明我的理論是對的！」陸米斯越想越振奮。

陸米斯的冷暖氣團互動理論

①溫暖的南風，與寒冷的北風相遇。

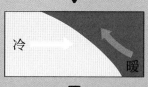

②較輕的暖空氣被冷空氣「擠」到高空。

③地表被冷空氣佔據而降溫，高空低溫也導致暖空氣中的水蒸氣凝結成小水珠。

④暖空氣遇冷凝結而出水滴降落形成降雨。

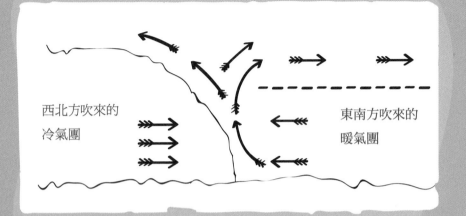

西北方吹來的
冷氣團

東南方吹來的
暖氣團

冷暖氣團相遇的交界面稱為「鋒面」，這張圖是陸米斯在論文中所畫的
鋒面示意圖，也是史上第一張鋒面的解剖圖。箭頭代表風向，顯示從西
北風吹來的冷氣團，把從東南方吹來的暖氣團「擠」往高空。

　　但是說起來簡單，驗證起來卻不容易。因為陸米斯知道，如果要證
明他的假設符合事實，他必須要能蒐集到更大範圍的氣象資料，這些資
料可能橫跨不同的郡、甚至不同的州，並且要符合以下幾個重點：

　　首先，這場暴雨發生過後，發生暴雨的地區應該有降溫的狀況。也
就是冷空氣把暖空氣擠向高空，並且占據了整個地面。如果以發生暴雨
的範圍做為界線，界線兩邊的溫度，應該一邊高、一邊低，這表示是
一邊是暖氣團、一邊是冷氣團，而降雨的範圍就是冷、暖氣團相撞的區
域。

心裡有了目標以後，陸米斯便開始調閱12月21日暴雨前後幾天的氣象資料，西邊從奧克拉荷馬州的喬克托郡開始，東邊到英屬紐芬蘭島的聖約翰市為止。

　　研究過27個氣象站的資料以後，他確實發現：暴雨區的東邊都比西邊來得暖，而且發生過暴雨的地區溫度的確都下降了，並且在降雨過後由較暖的南風轉為吹寒冷的北風！

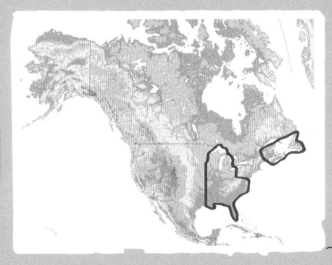

陸米斯調閱的氣象資料，所包含的地區非常廣大，幾乎就是十九世紀中葉的美國領地，加上加拿大的英屬北美洲區域。

　　經由以上一連串的分析以後，陸米斯得到了一個結論，那就是降雨區與冷熱交界區相吻合，表示這種長時間、大範圍的降雨，是起因於冷熱不同的兩股氣團，大規模碰撞在一起所產生的。

　　最後，陸米斯發表了一篇論文，名為《深入探討1836年12月20日，在全美國發生的大範圍降雨》，解釋了他如何從這場大範圍的暴雨紀錄中，發現冷、熱空氣團相碰觸，會造成大規模、長時間的強降雨；這種現象也就是現在所說的「鋒面雨」。

這篇論文是美國氣象學史上，第一篇完整的暴雨紀錄與研究文獻；2年後，陸米斯還畫出了幾乎是最早的氣象圖。這張圖在氣象學的發展中舉足輕重，最直接的影響便是讓後世研究颶風和氣旋現象的學者（颶風在大西洋稱為颶風，在印度洋稱為氣旋），得以分析出颶風是種熱帶低氣壓氣旋的天氣現象。所以，可以說這張圖對於後世發展出氣象預報的方法，有相當重要的貢獻！

在陸米斯之後，氣象預報的可能性又往前跨了一大步。隨著觀測站的數量迅速增加、天氣圖以及電報的出現，許多國家的政府開始建立氣象服務。

1854年，著名的「小獵犬號」船長——菲茨羅伊（Robert FitzRoy，1805～1865）海軍上將被任命為新的英國氣象局負責人，並從1861年開始，每日發布天氣預報與風暴警報。1871年，美國的新國家氣象服務也開始進行每日預報。

在往後的100多年中，人類的氣象報告越來越準確，扭轉了許多人的命運，不再受到天氣擺弄。雖然現代的我們隨時隨地都能查到世界各地的氣象預報，但這一切不是理所當然，而是數百年來，許許多多的科學家心血結晶所累積而成的結果。試想如果有一天，一個強烈的超級颱風朝著我們洶洶而來，卻沒有人能夠發出任何警告，下場該是有多麼的悲慘，損失該會有多麼的慘重，是吧？

剛開始，氣象預報還受到不少科學家和漁民反對呢！

還好他們反對沒有成功！

氣象預報說明天下雨不能約打球，我也要反對啦！

快問快答

1 梅雨季節時，氣象報導常說：「鋒面徘徊，請各地小心降雨。」臺灣的梅雨，就是陸米斯所發現的「鋒面雨」嗎？

梅雨的確是一種「鋒面雨」。它是東亞地區的獨特天氣，範圍從中國廣東沿海向北延伸到長江流域。由於每年都發生在五、六月中國華中地區的梅子成熟時期，所以稱為「梅雨」。

不過臺灣的梅子大約在三月、四月就能成熟，因此早期的確沒有「梅雨」這個說法，是氣象學家後來發現臺灣這個多雨季節的成因與華中的梅雨相同，才採用了這個名詞並沿用至今。

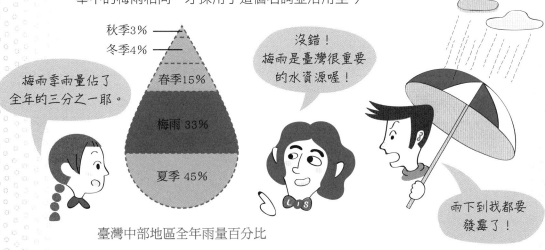

梅雨季雨量佔了全年的三分之一耶。

沒錯！梅雨是臺灣很重要的水資源喔！

雨下到我都要發霉了！

秋季3%
冬季4%
春季15%
梅雨 33%
夏季 45%

臺灣中部地區全年雨量百分比

LIS影音頻道

【自然系列—地科｜鋒面雨】雨下不停！鋒面雨到底是什麼？

「雨是上帝的眼淚」這句話是不是真的不知道，但要是行程因為下雨而泡湯那鐵定讓人哭出來。到底為什麼會下雨呢？這次讓熱愛戶外運動的陸米斯揭開「鋒面雨」的成因吧！

 附錄

本套書與十二年國民基本教育自然領域課綱學習內容對應表

　　地球科學是一門建立在物理、化學的基礎上，延伸應用在研究環境變化的學問，個中更涵蓋了數學、地理學、天文學、海洋學、氣象學等跨領域研究，綜觀歷史上地球科學家的成就，這般自其他領域得到啟發而有所突破的案例不勝枚舉。本套書主要介紹了地球科學理論的演進脈絡，以及眾多科學家不畏艱難、前仆後繼探究真理的研究歷程，特別適合國小高年級及國中年段的孩子閱讀，亦可與學校的課程相互配搭，必可獲得前所未有的學習樂趣。

國民小學教育階段高年級（5-6年級）

課綱主題	跨科概念	能力指標編碼及主要內容	本書對應內容
自然界的組成與特性	物質與能量（INa）	INa-Ⅲ-2物質各有不同性質，有些性質會隨溫度而改變。	下冊 氣壓：P39
		INa-Ⅲ-4 空氣由各種不同氣體所組成，空氣具有熱脹冷縮的性質。氣體無一定的形狀與體積。	上冊 空氣受熱膨脹：P96～99 下冊 氣壓：P39
		INa-Ⅲ-8 熱由高溫處往低溫處傳播，傳播的方式有傳導、對流和輻射，生活中可運用不同的方法保溫與散熱。	上冊 大氣的熱對流：P96～99 下冊 氣壓：P39 熱輻射：P50～54
	構造與功能（INb）	INb-Ⅲ-8 生物可依其形態特徵進行分類。	上冊 舌石：P65～67
	系統與尺度（INc）	INc-Ⅲ-1 生活及探究中常用的測量工具和方法。	上冊 地球周長：P26
		INc-Ⅲ-6 運用時間與距離可描述物體的速度與速度的變化。	下冊 岩層斷裂變化：P77～80 震波速度：P92

課綱主題	跨科概念	能力指標編碼及主要內容	本書對應內容
	系統與尺度（INc）	INc-Ⅲ-13 日出日落時間與位置，在不同季節會不同。	上冊 夏至：P26
		INc-Ⅲ-15 除了地球外，還有其他行星環繞著太陽運行。	上冊 日心說與地心說：P40、51～53
自然界的現象、規律與作用	改變與穩定（INd）	INd-Ⅲ-5 生物體接受環境刺激會產生適當的反應，並自動調節生理作用以維持恆定。	下冊 木材年輪：P111
		INd-Ⅲ-7 天氣圖上用高、低氣壓、鋒面、颱風等符號來表示天氣現象，並認識其天氣變化。	上冊 鋒面雨：P139～141
		INd-Ⅲ-8 土壤是由岩石風化成的碎屑及生物遺骸所組成。化石是地層中古代生物的遺骸。	上冊 舌石：P65～68 下冊 化石地理分布：P110～111
		INd-Ⅲ-9 流水、風和波浪對砂石和土壤產生侵蝕、風化、搬運及堆積等作用 河流是改變地表最重要的力量。	上冊 地球大熱機：P127
		INd-Ⅲ-11 海水的流動會影響天氣與氣候的變化。氣溫下降時水氣凝結為雲和霧或昇華為霜、雪。	下冊 聖嬰現象：P121～125
	交互作用（INe）	INe-Ⅲ-12 生物的分布和習性，會受環境因素的影響；環境改變也會影響生存於其中的生物種類。	下冊 盤古大陸生物分布：P110～112
自然界的永續發展	科學與生活（INf）	INf-Ⅲ-2 科技在生活中的應用與對環境與人體的影響。	下冊 氣壓計：P35 工業廢氣：P47、53、143
	資源與永續性（INg）	INg-Ⅲ-4 人類的活動會造成變遷，加劇對生態與環境的影響。	下冊 溫室氣體：P52～54 氟氯碳化物：P147～149
		INg-Ⅲ-7 人類行為的改變可以減緩氣候變遷所造成的衝擊與影響。	下冊 溫室氣體：P52～54 氟氯碳化物：P147～149

國民中學教育階段（7-9年級）

課綱主題	跨科概念	能力指標編碼及主要內容	本書對應內容
物質的組成與特性（A）	物質的形態、性質及分類（Ab）	Ab-Ⅳ-2 溫度會影響物質的狀態。	上冊 空氣熱漲冷縮：P96～97 熔解玄武岩：P128 下冊 空氣熱漲冷縮：P39
能量的形式、轉換及流動（B）	能量的形式與轉換（Ba）	Ba-Ⅳ-1 能量有不同形式，例如：動能、熱能、光能、電能、化學能等，而且彼此之間可以轉換。孤立系統的總能量會維持定值。	下冊 太陽熱輻射：P54

課綱主題	跨科概念	能力指標編碼及主要內容	本書對應內容
能量的形式、轉換及流動（B）	溫度與熱量（Bb）	Bb-IV-3 不同物質受熱後，其溫度的變化可能不同，比熱就是此特性的定量化描述。	上冊 海陸溫差：P98〜99 海風與陸風：P102
		Bb-IV-5 熱會改變物質形態，例如：狀態產生變化、體積發生脹縮。	上冊 空氣的熱漲冷縮：P96〜99 熔解玄武岩：P128
物質系統（E）	宇宙與天體（Ed）	Ed-IV-1 星系是組成宇宙的基本單位。	上冊 星系：P114〜116
		Ed-IV-2 我們所在的星系，稱為銀河系，主要是由恆星所組成；太陽是銀河系的成員之一。	上冊 銀河系結構：P112
地球環境（F）	組成地球的物質（Fa）	Fa-IV-2 三大類岩石有不同的特徵和成因。	上冊 沉積岩：P61〜69 水成論：P121 火成論：P125〜128
		Fa-IV-3 大氣的主要成分為氮氣和氧氣，並含有水氣、二氧化碳等變動氣體。	下冊 氣體吸收熱輻射能力：P52
		Fa-IV-4 大氣可由溫度變化分層。	下冊 大氣分層：P66〜67
	地球與太空（Fb）	Fb-IV-1 太陽系由太陽和行星組成，行星均繞太陽公轉。	上冊 日心說、地心說：P40、P51〜53
		Fb-IV-3 月球繞地球公轉；日、月、地在同一直線上會發生日月食。	上冊 月食：P21 月相：P35
		Fb-IV-3 月相變化具有規律性。	上冊 月相：P35
地球的歷史（H）	地層與化石（Hb）	Hb-IV-1 研究岩層岩性與化石可幫助了解地球的歷史。	上冊 斯蒂諾沉積定律：P68〜70
		Hb-IV-2 解讀地層、地質事件，可幫助了解當地的地層發展先後順序。	上冊 斯蒂諾沉積定律：P68〜70 赫頓剖面：P126〜127 下冊 彈性回跳理論：P77〜80
變動的地球（I）	地表與地殼的變動（Ia）	Ia-IV-1 外營力及內營力的作用會改變地貌。	下冊 地殼張裂：P115
		Ia-IV-2 岩石圈可分為數個板塊。	下冊 大陸：P109〜115
		Ia-IV-3 板塊之間會相互分離或聚合，產生地震、火山和造山運動。	下冊 地殼位移：P136〜137 中洋脊：P134〜137
		Ia-IV-4 全球地震、火山分布在特定的地帶，且兩者相當吻合	下冊 火環帶：P137

課綱主題	跨科概念	能力指標編碼及主要內容	本書對應內容
變動的地球（I）	天氣與氣候變化（Ib）	Ib-IV-2 氣壓差會造成空氣的流動而產生風。	下冊 氣壓差：P39
		Ib-IV-3 由於地球自轉的關係會造成高、低氣壓空氣的旋轉。	上冊 低緯度盛行風向：P97～99 下冊 地球自轉影響風向：P40～41
		Ib-IV-4 鋒面是性質不同的氣團之交界面，會產生各種天氣變化。	上冊 鋒面：P139～141
	海水的運動（Ic）	Ic-IV-2 海流對陸地的氣候會產生影響。	下冊 聖嬰現象：P121～125
		Ic-IV-4 潮汐變化具有規律性。	上冊 潮汐：P81～87
	晝夜與季節（Id）	Id-IV-1 夏季白天較長，冬季黑夜較長。	上冊 夏至：P26
自然界的現象與交互作用（K）	波動、光及聲音（Ka）	Ka-IV-3 介質的種類、狀態、密度及溫度等因素會影響聲音傳播的速率。	下冊 地殼與地涵：P92～93 地核：P100～102
		Ka-IV-6 由針孔成像、影子實驗驗證與說明光的直進性。	上冊 地圓説：P22 地球周長：26
生物與環境（L）	生物與環境的交互作用（Lb）	Lb-IV-2 人類活動會改變環境，也可能影響其他生物生存。	下冊 溫室氣體：P52～54 氟氯碳化物：P147～149
科學、科技、社會與人文（M）	科學發展的歷史（Mb）	Mb-IV-2 科學史上重要發現的過程，以及不同性別、背景、族群者於其中的貢獻。	上下兩冊全
	環境汙染與防治（Me）	Me-IV-4 溫室氣體與全球暖化。	下冊 溫室氣體：P52～54、56
全球氣候變遷與調適（跨科主題）	能量的形式與轉換（Ba） 溫度與熱量（Bb） 生態系中能量的流動與轉換（Bd） 生物與環境的交互作用（Lb） 科學、技術及社會的互動關係（Ma） 環境汙染與防治（Me） 氣候變遷之影響與調適（Nb）	INg-IV-1 地球上各系統的能量主要來源是太陽，且彼此之間有流動轉換。	下冊 太陽熱傳遞：P50、54
		INg-IV-2 大氣組成中的變動氣體有些是溫室氣體。	下冊 溫室氣體：P52～53、56
		INg-IV-3 不同物質受熱後，其溫度的變化可能不同。	上冊 海陸溫差：P96～99
		INg-IV-7 溫室氣體與全球暖化的關係。	下冊 溫室氣體與全球暖化：P52～54
		INg-IV-8 氣候變遷產生的衝擊是全球性的。	下冊 溫室氣體與全球暖化：P52～54
		INg-IV-9 因應氣候變遷的方法，主要有減緩與調適兩種途徑。	下冊 溫室氣體與全球暖化：P52～54 臭氧層破洞：P147～150

名詞索引

依筆劃、注音順序、字數排列

其他筆畫
TO地圖　29

二畫
七年戰爭　107
八角禮拜堂　107
十字軍東征　51

三畫
三角形　37〜38
上弦月　35
下弦月　35
大一統　80
大白鯊　72
大洪水　62
大氣層　130
大翻譯　49
小行星　88
小亞細亞　20
小獵犬號　142

四畫
不列顛東印度公司　91
公共浴室　48
公轉　57〜58、147
化石　61〜62
天文單位　117
天王星　88、108
天狗　72
天球　51、53
天象論　134
天體運行論　53、55
太陽周長　39

太陽照射熱量　99
引潮力　85
文藝復興　49
方尖碑　26
日心說　40〜41、54〜56
、57、109
月地距離　38、43
月球周長　39
月食　21
水平地層　69
水成論　62、121
水成學派　62
火刑　56
火成論　122

五畫
仙女座星雲　113〜114
、116
占星術　44
巨齒鯊　72
本輪　52
玄武岩　125、128
生物遺骸　62

六畫
共主邦聯　107
冰河時期　72
地中海　73
地心說　51〜54
地平說　21、29
地坪說學會　29
地球大熱機　127〜129
地球自轉　58、97

地球論　128
地圓說　21、50
地質學原理　128
宇宙帳棚　50
宇宙膨脹　116
托斯卡納大公　65
自然哲學的數學原理　87
、99〜100
自然哲學家　20、21
自轉　57〜58、147
舌石　63、65
血液循環　129
西西里島　73
西南季風　101
西洋梨　30

七畫
克里米亞戰爭　133
冷氣團　139〜140
利比亞沙漠　98
均輪　52
希臘神話　20
希臘神廟　48
沉澱　68
沉積定律　70
沉積岩　121
赤道　96
赤道周長　27

八畫
亞平寧山脈　70
亞歷山卓　23〜24、48
亞歷山卓圖書館　23〜24

岩漿　122、126〜127
放射性元素　129〜130
放射性同位素　129
東北季風　101
東羅馬帝國　48
法蘭伯克教堂　56
波斯帝國　48
波斯帝國　48
花崗岩　125〜126
金星　88
長江流域　143
阿波羅計畫　43

九畫
俄亥俄天文臺　136〜137
信風　101
哈雷彗星　92
哈德良長城　124
星系　116
星系群　116
星系團　116
星表　94
星象　92
星雲　116
星團　116
流星索　87〜88
美國國會圖書館　137
英國皇家學院　94
英屬北美洲　141
神社　72

十畫
原始水平定律　70

原始推動者　36、42
埃特納火山　122
島宇宙　114
氣旋　142
海平面　86
海洋物理　87
海風　102
海陸風　102
海陸溫差　99
海潮圖序　77
航海家一號　117
逆自轉　88
逆行　52

十一畫
乾潮　77〜87
偽科學　44
啟蒙時代　61
啟蒙運動　44
國教　48
帶電粒子　130
望遠鏡　106、108
梅雨　143
氫氣雲　57、58
深入探討1836年12月20
日，在全美國發生的大範
圍降雨　141
現代天文學之父　47
荷馬史詩　20
荷魯斯　19
陸風　102
魚類的歷史　100
氯化銨　124

華氏溫標　135
視距　26

十二畫
氦　116
殖民　91
貿易風　101
黑死病　79
黑暗時期　49

十三畫
圓周運動　83〜84
愛丁堡　123
愛因斯坦　116
新大陸　91
新月　34〜35
新星　113
新星　113
暖氣團　139〜140
溫度　134〜135
溫標　135
聖公會　80
聖赫勒拿島　94
腮腺管　64
萬有引力　79、81、111
蒂爾特河　126
雷射光　43
蒸汽機　129

十四畫
對流　96
慣性定律　42
歌利亞巨人　83

滯留鋒　143
滿月　35
滿潮　77～87
漢諾威王國　106～107
漩渦星雲　116
熔岩　125
碳化物質　67
臺灣海峽　72
赫頓剖面　127
銀河系　112、117
銀河系結構圖　112
鼻骨　73

十五畫
數沙者　41、49
歐洲矮象　73
歐特雲　117
膠結　68～69
論天　21
論天體的圓周運動　25
論在熱帶地區歷史上觀測到的
信封與季風之成因　99
論衡　77
鋒面　140、144
鋒面雨　141、143

十六畫
凝結　139
獨眼巨人　73
盧卡斯數學教席　80

十七畫
環形球儀　25
螺旋星系　116
颶風　142

十八畫
鯊魚　63、65～68

十九畫
羅馬帝國　47～48
關於太陽、月亮的大小與
距離　37
關於托勒密與哥白尼兩大
世界體系的對話　78

二十畫
礦場　61
蘇伊士運河　24

二十一畫
攝氏溫標　135

二十二畫
疊置定律　70

圖片來源

Wikipedia維基百科提供：

P21（右）、23、29、37、43、50、53、54、63、64、65、67、69、72、73、79、93、107、108、109、112、113、114、115、116、117、121、122、123、135、136、137

Shutterstock圖庫提供：

P20、24、47、62、66、78、138、141

◑◐ 少年知識家

科學史上最有梗的20堂地科課（上）
25部LIS影片 讓你秒懂地科

作者｜胡妙芬、LIS情境科學教材
繪者｜陳彥伶

責任編輯｜曾柏諺
美術設計｜丘山
行銷企劃｜王予農

天下雜誌群創辦人｜殷允芃
董事長兼執行長｜何琦瑜
兒童產品事業群
副總經理｜林彥傑
總編輯｜林欣靜
版權主任｜何晨瑋、黃微真

出版者｜親子天下股份有限公司
地址｜台北市104建國北路一段96號4樓
電話｜（02）2509-2800　傳真｜（02）2509-2462
網址｜www.parenting.com.tw
讀者服務專線｜（02）2662-0332　週一～週五：09:00~17:30
傳真｜（02）2662-6048　客服信箱｜parenting@cw.com.tw
法律顧問｜台英國際商務法律事務所，羅明通律師
製版印刷｜中原造像股份有限公司
總經銷｜大和圖書有限公司　電話：（02）8990-2588

出版日期｜2022年9月第一版第一次印行

定價｜400元
書號｜BKKKC214P
ISBN｜978-626-305-297-0（平裝）

訂購服務 ─────────────────────
親子天下Shopping｜shopping.parenting.com.tw
海外・大量訂購｜parenting@cw.com.tw
書香花園｜台北市建國北路二段6巷11號　電話（02）2506-1635
劃撥帳號｜50331356 親子天下股份有限公司

國家圖書館出版品預行編目資料

科學史上最有梗的20堂地科課：25部LIS影
片讓你秒懂地科／胡妙芬、LIS情境科學教材
文；陳彥伶圖
-- 第一版. -- 臺北市：親子天下股份有限公司
, 2022.09
　上冊；18.5*24.5 公分
ISBN 978-626-305-297-0(上冊：平裝)

1.CST: 地球科學 2.CST: 通俗作品
350　　　　　　　　　　　　111012054

立即購買 >